*40 belevenissen van een dertiger*

## Colofon

**tekst** Linda de Wit
**illustraties** Rob Haakman
**opmaak** Jandaan Westhof, JslashJ
**print** RCG grafimedia


artikelnr RDM037
isbn nr ISBN 978-90-814448-1-1

# Scharrels Sex & Schaamhaar

Linda de Wit

## Inhoud

pag.

## Woord van dank

Grote dank voor Rodeo Media en dan in het bijzonder Dennis de Graaf. Mijn vader en familie, die, ondanks dat ze soms even moesten slikken, toch konden lachen om mijn verhalen. Nee Neel, het is geen werktitel en er komt ook geen pseudoniem. Rob Haakman, zeer veel dank voor de fantastische illustraties! Dank Jessica Villerius voor de correcties en voor de zin 'ik heb buikpijn van het lachen gehad, VERDOMME.' Dankjewel 'projecten', altijd leuk voor een goed verhaal. Dank 'de Col'. Een vette dankjewel voor mijn vrienden en vriendinnen. Zonder jullie geen boek! Rink, bedankt voor het eeuwige luisteren. Lien, met baby op schoot toch altijd klaar voor commentaar en Jen, de blunders, het meedenken, je grappen en enthousiasme... één bron van inspiratie. Muchos gracias!
Als laatste een speciaal dankjewel voor mijn lieve moeder omdat je altijd op mijn linkerschouder zit.

*Voor Ocean*

## Het vijf-fasenplan

Buiten liefde en lust zijn er natuurlijk nog méér fasen wanneer het gaat om man–vrouw-contact.

In het algemeen hanteer ik ongeveer het volgende rijtje:

1) Sex. Dan heb ik het over de simpele piemel-in-vagina-onenightstands zonder melding van naam, leeftijd en woonplaats.
2) Scharrels. Dit zijn meer de once-a-month-stands. Niks serieus, maar ook zeker niet eenmalig. Hierbij ken je naam en leeftijd, hoewel je nooit zeker bent of die op waarheid berusten. Goede en/of diepgaande gesprekken zijn niet aan de orde, evenmin als praten over gevoel, werk en toekomstplannen.
Hè nee. Brrr.
3) Genegenheid. Dit is de uitgebreide vorm van fase twee. Leuke bijkomstigheid is dat je ook met kleding áán lief tegen elkaar bent. Dat je soms, heel soms, een filmpje pakt (wel sam-sam) en in een echt dolle bui na afloop nog wat gaat drinken (dit uiteraard ook voor eigen rekening).
4) Project. Een project is meer dan alleen sex en ook meer dan een scharrel. In deze fase zijn er vlindertjes en knikkende knieën aanwezig en is het dragen van lingerie inmiddels een absolute must. Negen van de tien keer is het aan hém om het restaurant te kiezen en ook verrassingen zijnerzijds worden getolereerd (lees: verwacht). In dit stadium is sam-sam uit den boze. Gebeurt dit wel, dan degradeert het bewuste project zonder enige uitleg en kans om zich te verweren terug naar fase drie.
Tevens heeft een project potentie ooit de titel 'relatie' (fase vijf) te bemachtigen en daarmee mijn hart. Echter, voordat een project zichzelf zo mag betitelen, moet hij zes maanden blijven. Voor niks gaat de zon op. Vertrekt hij eerder dan die zes maanden, dan zal het altijd een kansloos project blijven, schopt hij het tot de volgende stap, dan wordt het 'mijn vriend' en ben ik officieel aan de man.
Iedereen blij.
5) Relatie. Dit is dus wanneer de zes maanden grens is bereikt en overschreden.

Het is een relatie wanneer het nieuwe en leuke er vanaf is en we elkaar desondanks nog steeds gedogen. Irritaties en tekortkomingen worden wederzijds geaccepteerd en het sluiten van compromissen is dagelijkse kost. De bioscoop wordt verruild voor een gezellig middagje samen Albert Heijn-en (hè leuk!). Met plezier sta je (verdomme!) ruimte af in de voor jou oh-zo-belangrijke kledingkast. Schoonfamilie (fuck!) wordt een verplicht moetje. Vieze onderbroeken vind je door je hele huis (gadverrrrrrrr!) en stop je zonder morren in de wasmachine, met liefde zet je z'n prakkie (stoommaaltijdje) op tafel, worden de uitjes gewoon weer, net als bij fase 3, sam-sam afgerekend (jammer...!) en wordt er af en toe eens een opmerking gemaakt over 'een gezamenlijk potje' (zooo burgerlijk!).
Natuurlijk allemaal in ruil voor die arm, de rust, stabiliteit, zekerheid... en niet te vergeten uit naam der liefde... (of zoiets).

Fase één, twee en drie sla ik meestal over. Teveel gedoe.
In mijn visie zijn deze stappen prima te overlappen met mijn goede vriend Dil Do.

Echter, ook over fase vijf ben ik niet al te lyrisch.

Ondanks dat ik in het verleden deze fase een aantal malen redelijk succesvol heb behaald, ben ik de afgelopen jaren niet verder gekomen dan fase vier.
Volgens mijn omgeving ben ik te kieskeurig en eigenlijk klopt dat ook wel.
Ik ben nou eenmaal erg gesteld op mijn leventje en privacy. Ik ben niet dol op compromissen, doe niet graag de vuile was van een ander en 'rekening houden met' is ook al niet mijn sterkste eigenschap.

Ik wil op vakantie kunnen wanneer ik dat wil en ook met wie ik dat wil en een avond de stad onveilig maken moet een spontaan gebeuren blijven en niet iets dat gepland en overlegd -, in drievoud getekend en op carbonpapier geretourneerd moet worden.

Mijn schoenencollectie staat op nummer 1 en zelfs al moet ik de hele maand sla knabbelen en mijn Spa-Blauw-fles vullen met ordinair kraanwater omdat ik die Gucci muiltjes heb gekocht, dan is dan toch *zeker mijn probleem.*

Op menigeen zal dit belachelijk overkomen, maar mij geeft dit juist een bevrijdend gevoel. Ik kan en mag doen wat ik wil zonder rekening te hoeven houden mét.

Hoewel het moeilijk toe te geven is, is misschien mijn grootste struikelblok wel dat mijn *husband-to-be* in zekere mate op mijn vader moet lijken. Serieus, wanneer Sigmund Freud nog had geleefd was ik gediagnosticeerd als een dertiger met het Oedipuscomplex. En dat kun je dan weer opzoeken op Wikipedia.

Toch is mijn uiteindelijke doel fase vijf te herschrijven en de prins op het witte paard, de ware, te ontmoeten.

Ik wil gewoon het complete sprookje en zo lang 'Er was eens...' zich niet aandient en klonen alleen bij muizen mogelijk is, blijf ik het gewoon gezellig hebben met projecten.

## Size does(n't) matter

Bij mannen gaat het ongeveer zo:

'Ik heb gister weer even ouderwets een brandje geblust. PORNO!! Wat een lekker wijf! Hoe ze heet? Goh, geen idee, maar ze komt toch zeker wel in mijn top drie! Tieten, ass... alles erop en eraan. Hebben zeker vijf uur liggen bonken en ze is wel negen keer klaargekomen. Heb geen Viagra nodig. I'm the King!!'

Meestal volgt er dan ook nog een Bokito-achtige brul waarvan nietsvermoedende omstanders zich altijd afvragen waar deze vandaan komt.

Mannen, schetst dit een beetje een beeld van hoe het er in de voetbalkantine aan toe gaat? Jullie weten toch wel dat wij vrouwen meer van de details zijn, toch?
Juist ja...Dan heb ik het natuurlijk in het bijzonder over dat ene kleine, normale of grote detail...

Bij ons gaat het ongeveer zo:

Oma's zullen zeggen:
'Lieve schat, het gaat niet om de grootte, het gaat erom wat je ermee doet.
'Houden van', dát is waar het in het leven om draait. Een luisterend oor, een schouder... dat is veel belangrijker. Echt, het is heus waar.'

Net ontmaagde pubers zullen zeggen:
'Durfde niet zo goed te kijken. Buiten dat... het was ook pikkedonker... heb dat ding eigenlijk maar met één vinger aangeraakt, maarre...het groeit toch nog? Net als mijn borstjes... toch?'

Twintigers zullen zeggen:
'Ik heb iets gehoord over de grootte van handen en voeten. Is dat echt waar? Ik vind het maar een lelijk ding en ben blij dat hij zelf de

regenjas aantrekt, dan hoef ik er tenminste niet te lang naar te kijken. Kijken is lustremmer nummer één.'

Wij dertigers over de 'onder het gemiddelde'-penis:
* 'Ik heb gister... ehhhhh... genegenheid gehad.'
- 'Wat!! Met wie? Hoe was het?'
* 'Was op zich oké. Hebben heerlijk ge... ehhhh...knuffeld.'
- 'Enne???? Hoe was zijn... je weet wel.'
* 'Tja, nou ja, was nou niet echt om over naar huis te schrijven, misschien scheelt het als hij zijn schaamhaar scheert...?? Hij heeft in ieder geval zeker niet vooraan in de rij gestaan bij het uitdelen.'
Wij dertigers over de 'gemiddelde' penis:
* 'Hihi...ik ben gister met iemand naar bed geweest.'
- 'Wat! Met wie? En??'
* 'Met Frank. Hij heeft prachtige ogen en als hij lacht gaat z'n ene wenkbrauw omhoog. Zoooo schattig. Hij woont enig, prachtige schilderijen aan de muur...'
- 'Hartstikke leuk, maar... je weet wel...'
* 'Ooh... heb eigenlijk niet zo goed naar zijn ding gekeken... volgens mij had hij een knikje naar rechts.'

Wij dertigers over de 'bovengemiddelde' penis:
* 'Ik heb gister gru-we-lij-ke sex gehad.'
- 'Hoe groot?'
* 'Anaconda in the HOUSEEEEEEEEEEEEEEEEEE!!'

Veel mannen denken werkelijk dat het er tijdens een vriendinnentheekransje of in de sauna zo aan toe gaat.
Is dat zo? En does the size really matter of heeft oma stiekem gelijk?

Worden we al onzeker, mannen? Ik hoor jullie denken:
*Had ik die G-spot nou gevonden?*
*Ik ben toch best oké geschapen?*
*Mijn beginnende buikje vond ze toch schattig en zacht?*
*Die Tarzan was toch ter aanvulling... of ter compensatie?*
*Deelt ze echt ons hele sexleven met haar vriendinnen?*
*Zou ze ook hebben verteld dat ik die van mij een naam heb gegeven?*

Weet je mannen… wij vrouwen hebben al zoveel om onzeker over te zijn, denk: cellulitis, spataderen, peerborsten, de vorm van onze tepels, buik en heupen…dat ik jullie lekker in die waan laat.

Voor alle mannen die nu direct naar hun kruis kijken… dit is natuurlijk een boodschap met een knipoog.
In de sport… oké. Op de werkvloer… oké, maar in bed….
Geniet van het moment. Geniet van elkaar en wees toch niet altijd zo prestatiegericht en opschepperig bezig… dan kan het namelijk alleen maar tegenvallen. ECHT!

Oh ja, en voor alle vrienden van het eerder genoemde soort types: negen keer… Wat denk je zelf!?

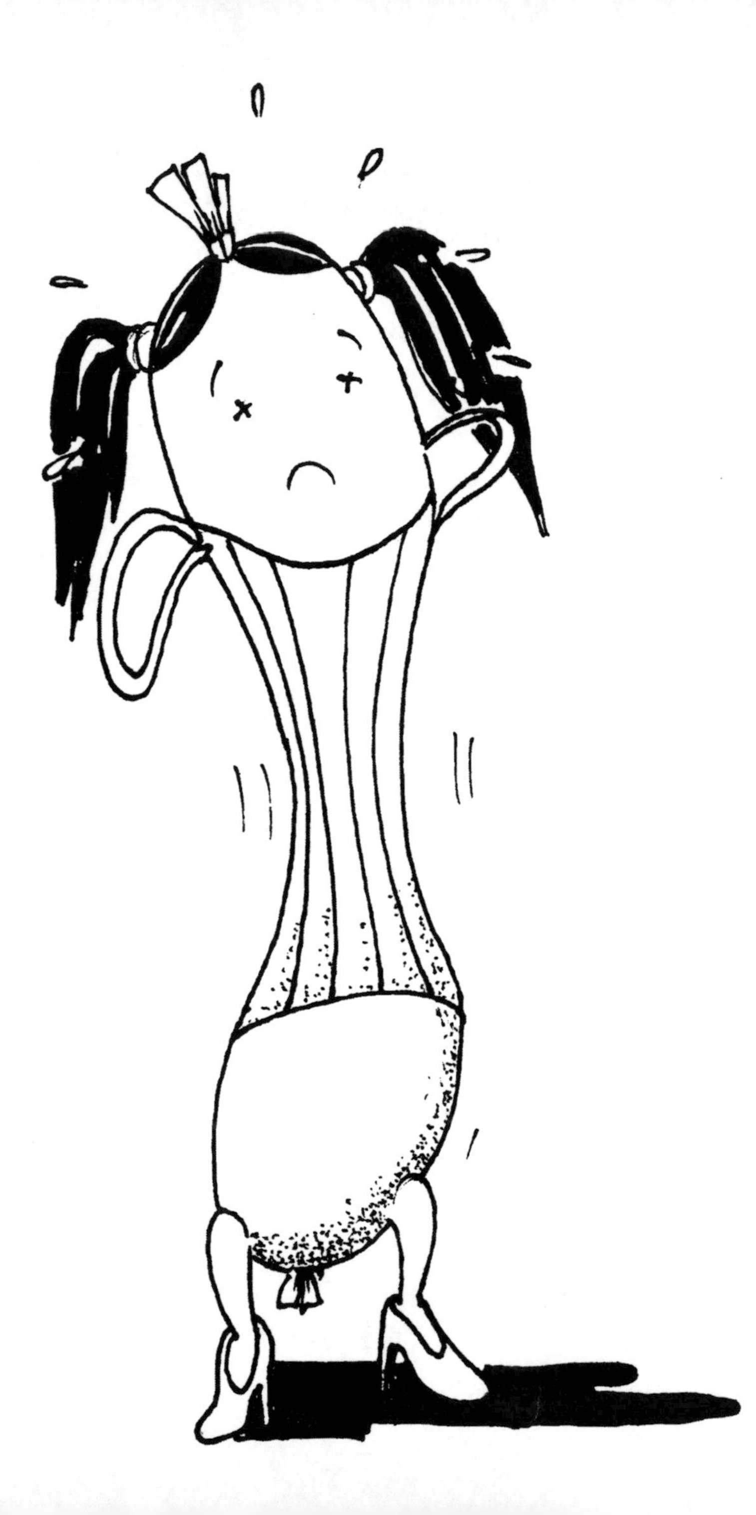

## Tyra Banks... je wordt bedankt!

Tijdens een rondje zappen stuit ik op de talkshow van Tyra Banks. Het onderwerp is 'twee maten minder zonder dieet'. Interessant.

Nou heb ik het geluk dat ik van paps en mams de goede genen qua figuur heb meegekregen, maar net als iedere vrouw heb ook ik zo mijn onzekerheden en vind ook ik dat het altijd slanker en strakker kan.
Dus stopt daar mijn gezap en zit ik met stijgende bewondering te kijken naar alle vormen en maten van corrigerend ondergoed. Oftewel: de bangmakers!

Hemdjes, panty's, zelfs hele bodysuits sieren de strakke lichamen van de modellen die over de catwalk lopen.
Tyra zelf draagt een soort van wielrenbroek onder haar megastrakke kokerrok. Geen randje te zien en de before and afters waren dan ook UNBELIEVABLE (Tyra zegt dat overtuigender...)

Ik, die alles koopt waar light op staat en een calorieteller op de ijskast heeft hangen, ben dan ook direct gefascineerd door dit, voor mij totaal nieuwe, fenomeen.

Nog geen minuut na de uitzending duik ik achter mijn computer om op Google te zoeken naar deze superontdekking. Iedere foto die ik aantref doet me denken aan de huidkleurige korsetten van mijn oma, maar hé... twee maten minder!!

Zo gezegd, zo gedaan. Hemdjes, een wielrenbroek en een panty coming up.

Nog geen week later arriveert mijn hoop in bange dagen.
Een totale desillusie. Ik kan een pruillip niet onderdrukken als ik het uitpak. Wat is dit lelijk...Het doet gewoon pijn aan mijn ogen. Ik pak het hemdje uit en probeer 'm open te vouwen. Er valt niks open te vouwen, dit is 'm. Serieus, is dit voor een kind van tien?

Zoals bij mij helaas vaker gebeurt, belandt het hele zwikkie meteen en nog in de verpakking in de hoek 'miskopen en andere desillusies'. Tot ik twee weken later naar een feestje ga en die oh zo sexy ultralage heupbroek aan wil, maar ja... die zijkantjes. Ik graai als een wezenloze in de hoek 'miskopen en desillusies' en haal bezweet maar voldaan het afschuwelijk lelijke hemdje eruit.

Het kost me tien minuten om het marteltuig aan te krijgen. Over je hoofd gaat het namelijk niet. Totaal oververhit van al het gezwoeg heb ik het onding uiteindelijk via mijn voeten al kreunend en steunend (moet wel zeggen, zeer goed materiaal...je kan trekken wat je wil zonder dat het scheurt) aangekregen.
Erg veel lucht krijg ik niet meer en ik vermoed dat mijn bloeddruk met de minuut stijgt, maar eerlijk is eerlijk: geen zijkantje te zien en die heupbroek staat killing. Ik ben d'r klaar voor.

De hele avond voel ik me als een worst in zijn omhulsel, als een meisje van veertien met een maandverbandje tussen haar benen dat ieder moment gezien kan worden.
Trouwens, waarom moeten mannen ook altijd even een hand op je rug leggen als ze met je in gesprek zijn? Ik word er bloednerveus van.

En dan gebeurt het.
Er wordt een Salsa-nummer gestart en omdat Salsa mijn passie is hoef ik dan ook niet na te denken op het moment dat ik door een leuke kerel te dans wordt gevraagd.
Het lichamelijke contact bij Salsa en de kans ontmaskerd te kunnen worden was ik even vergeten (tot dat moment denk je namelijk nog: zit allemaal tussen m'n oren, niemand kan het zien, laat staan voelen).
Na het dansje geeft de beste man me nog even een knuffel en zegt tot mijn grote schrik: 'Wat heb je allemaal aan, joh?' Of ik het nou goed verstaan heb of niet...ik ben compleet van de kaart. Geschrokken kijk ik hem aan.

'Eh..., ik heb een heel, heel strak hemdje aan, heb namelijk erg

veel last van mijn rug en dit hemdje vangt de pijn een beetje op.'
Ik vergeet even dat ik net met mijn 'pijnlijke rug' de meest absurde capriolen heb uitgehaald. Maar toch: de jongen knikt begrijpend.

Een paar wijntjes verder komt mijn toenmalige net nieuwe vriendje (lees: project) binnen en gaat mee naar huis.
Op de trap beginnen we te zoenen en eenmaal boven weet hij niet hoe snel hij mijn kleren uit moet trekken. Wijn doet dingen vergeten. Serieus.
De broek lukt, mijn truitje lukt, maar het afschuwelijke Tyra Banks twee-maten-minder-zonder-dieet-hemdje, blijft hangen onder mijn oksels.

We hebben ´m uiteindelijk maar ritueel doorgeknipt.

WAT EEN AFGANG!

## Steuners

Dit is voor alle lieve mensen die meeleven. Die je begeleiden en ondersteunen. Die je fysiek en emotioneel helpen, die er gewoon ZIJN.
De oh zo belangrijke Steuners.

Iedereen kent wel iemand in zijn omgeving die kanker of een andere nare ziekte heeft.
Je biedt een luisterend oor en soms een schouder en hoopt op die manier iemands pijn een beetje te kunnen verlichten...maar wat als het ineens iemand uit je eigen directe omgeving betreft?
Dan verandert het géven van steun in nemen en wordt ineens jij degene die onbewust behoefte heeft aan de mensen die ik Steuners noem.

Drieëndertig jaar geleden kwam ik ter wereld als dochter van de meest fantastische vrouw die ik ooit gekend heb en ooit zal kennen... mijn moeder.

Twee jaar geleden heeft mijn moeder de strijd tegen borstkanker verloren. Ze is niet meer.
Het gevoel een persoon te verliezen die zoveel voor je betekent, is niet te beschrijven, niet uit te leggen, niet te bevatten.
Iets moeten loslaten zonder dat te willen, iets dat een stempel drukt op de rest van je leven, iets...waarmee je zult moeten leren leven.

Hoe vaak horen we niet: Ik heb niemand nodig. Je komt alleen ter wereld en verlaat hem ook weer in je uppie. Ik heb deze zin vaak gehoord en zelf ook meer dan eens gebruikt, maar geloof me... de tijd tussen je geboorte en je dood is (hopelijk) lang en in die tijd is het fijn mensen om je heen te hebben die om je geven en van je houden.

Ik heb altijd geweten dat ik fantastische vrienden om me heen heb, maar in de periode dat mijn moeder ziek was, en ook nu, kan ik hen alleen nog maar fantastischer vinden.

Zo kreeg mijn moeder twee jaar lang drie kaarten per week van een vriendin van mij. Geweldig!
Als ik mezelf had opgesloten in huis, stonden ze voor de deur. Veel belletjes, lieve sms'jes en ga maar door...

Mijn moeder heeft van haar eigen groep Steuners zakken vol post gekregen, mensen die iedere week kwamen koken, spontaan een bloemetje stuurden, boodschappen deden, wisten wanneer ze te veel waren en een schouder boden als dat nodig was.

De ongelofelijke leegte, het verdriet, het ongeloof en vooral het gemis blijft, maar door hen, genaamd 'de Steuners', blijf je ook de mooie dingen van het leven zien, worden verdrietjes en geluksmomentjes gedeeld en zal het langzaam draaglijker worden.

Ze waren en zijn er altijd.

'Je komt en je gaat alleen'... nee, dat zul je mij niet meer horen zeggen.

Moeilijk? Ja! Heel moeilijk. Ze is weg en komt nooit meer terug, maar ik kan met trots zeggen dat ik een mooie groep Steuners om me heen heb waardoor ik het uiteindelijk een plek zal kunnen geven en bovenal dat ik gezegend ben tweeëndertig jaar de meest fantastische moeder te hebben gehad.

Mijn moeder bleef lachen, want ze wist... als zij ging huilen, gingen we allemaal huilen.
Haar motto was: 'Kijk naar de zon en laat de schaduw achter je.'
Lieve mam, ik doe mijn best, maar God wat mis ik je!

Wat ik zeker weet..., vergeten doen we elkaar nooit, dat geldt voor zowel de mensen hier beneden als die daar boven.
Want met mijn vader, zussen en mijzelf, maar vooral ook dankzij de Steuners zal de gedachte en herinnering aan mijn moeder altijd levend blijven en zo is dat ook voor alle andere dierbare personen die

daar hoog in de hemel met een glimlach en een wijntje in hun hand op ons neerkijken en één voor één met trots zullen wijzen naar hun kind, vader, moeder, broer, zus, opa, oma, geliefde of...Steuner.

Lieve Steuners, vergeet nooit hoe belangrijk jullie zijn. Dank!

## Hot & Steamy

Sauna's, Hammam's, complete Wellness Centra's… hartstikke leuk en ongetwijfeld een verwennerij.
Veel mensen beleven een dagje Spa als verdiend cadeautje.
Naakt geeft hen waarschijnlijk het gevoel even puur en vrij te zijn.

Mij niet.

Ik hoef niet zo nodig met mijn naakte lijf in een gemengde sauna te zitten en ik zit al helemaal niet te wachten op de aanblik van naakte lichamen van anderen.

Stel je voor, zit je poedelnaakt te relaxen, zit ineens je buurman naast je, of nog erger, die knappe jongen uit de kroeg.

Ik weet het niet, maar ik associeer het al snel met iets viezigs.

Toch lijkt het tegenwoordig voor veel mensen iets structureels te worden, zo'n dagje 'Welnessen'.

Mijn vriendinnen gaan zo'n één keer per maand 'gezellig' met z'n allen naar de sauna.
Relaxt en volledig uitgerust vertrekken ze dan om vervolgens de laatste roddels onder het genot van een glas wijn te delen in een iets verder gelegen kroeg.

Na vier keer een smoes te hebben verzonnen om niet mee te gaan, heb ik de vijfde keer maar gewoon gezegd hoe de vork in de steel zit. 'Ik vind naakte lichamen vies! Ik sluit wel aan bij de wijn.'

Helaas moest ik er toch aan geloven.
Laatst had ik hulp nodig van een vriendin. Ze wilde me helpen, maar dan moest ik beloven dat ik tenminste één keer met haar mee zou gaan naar de Sauna.

'Luister, je mag een handdoek om en echt, er komen alleen maar vrouwen.'

'Oké,' zeg ik. 'Eén keer dan, maar als ik het niks vind wil ik ook nooit, maar dan ook nooit meer ook maar een subtiele hint dat ik mee moet met jullie maandelijkse uitje.'

Zo gezegd, zo gedaan. Ik prop de grootste handdoek die ik kan vinden, een bikini en uiteraard mijn oversized badjas in mijn tas en ga met het lood in mijn schoenen en dikke tegenzin dat stinkcentrum in.
'Daar kunt u zich uitkleden. Slippers zijn verplicht, u mag geen kleding mee naar binnen nemen.'

QUE??

Tot dat moment dacht ik echt dat ze een goede vriendin was en het beste met me voor had. NOT!
Ik ben er ingeluisd. Ik moet en naakt en het is gemengd!!

Met mijn mondhoeken op mijn enkels zit ik in de sauna. Ik kan alleen maar denken aan wie er vóór mij met z'n blote kont op het plekje waar ik zit zou hebben gezeten. Toen ik die gedachte eenmaal had verbannen was er nog maar één gedachte... *hoe kan ik mijn vriendin hier genadeloos voor afstraffen?*

Na ongeveer zes minuten krijg ik het zo benauwd dat ik het liefst gillend naar huis wil, maar ja, mijn vriendin, die inmiddels een echte sauna diehard is geworden, is nog lang niet uitgesauna't.
Tja en nu...? Ik kan er wel uitlopen, maar dan? Sta ik daar in mijn nakie! Er blijft niets anders over dan braaf, maar wel half claustrofobisch en mét ademhalingsmoeilijkheden te blijven zitten. En aftellen.

Vijf minuten later ben ik schijndood. Met het laatste beetje kracht wat ik heb sleur ik mijn vriendin van het ranzige bankje af.

'Oké,' zegt ze. 'Nu moeten we het stoombad in.'

Ik voel me zo slap dat ik als een mak lammetje achter haar aanloop. Mijn vriendin loopt voor me het trappetje af het stoombad in, verliest haar evenwicht, probeert zichzelf op te vangen en grijpt daarbij vól in het zaakie van een bezoeker die door al dat gestoom nog niet eerder was opgemerkt.

Payback time.

Duizend maal verontschuldigde ze zich. Wat voelde ze zich ongemakkelijk en ik... ik kon alleen maar zeggen:

'Wat doe je nou? Ik heb nog zo gezegd dat we hier alleen naartoe gingen als je niet meer aan piemels van vreemde meneren zou zitten. Sorry hoor, meneer. Ze heeft verlof van de instelling waar ze zit, maar ik breng haar meteen weer terug.

Gênant!!'

## Koekhappen

Het spelletje 'Hard to get' werd voor het eerst in mijn leven geïntroduceerd toen ik een jaar of zestien was.
Een ingewikkeld liefdesspel waarvan ik de echte spelregels zestien jaar later nog steeds niet begrijp.

Voor wie dit compleet onbekend in de oren klinkt...
Het is te vergelijken met het ouderwetse Koekhappen.
Heel erg je best doen ergens bij te komen, maar het lukt steeds nét niet.
En dat eerste hapje... dat eerste hapje dat je dan te pakken hebt... dat is meteen de lekkerste. Daarna wordt het nooit meer beter.

Wellicht is bovenstaande een belachelijke vergelijking, maar dit mind-spelletje berust dan ook op een belachelijke methode.

Wat een gedoe! Je vindt iemand leuk, wilt bellen, maar mag niet bellen? Nee, daar hoor je toch zeker twee dagen mee te wachten.
Zo'n ongeschreven regel, echt: je vindt het nergens terug maar toch weet iedereen het.

Als een man vraagt of je de volgende dag in bent voor een drankje, moet je liegen dat je al een afspraak hebt maar wel twee dagen later beschikbaar bent.
En niet te vergeten alle gespreksonderwerpen die je moet mijden tijdens een eerste date. Vooral niet eerlijk zijn.

Je krijgt hier toch acute dating-ADHD van?!

Andere spelregels zijn: ongeïnteresseerd en afstandelijk gedrag vertonen.
Je moet een rol aannemen. Je anders voordoen dan je werkelijk bent.
Terwijl mannen denken dat het sexy is op date twee een scheet te laten en te pissen met de deur open, moeten wij vrouwen het niet in ons hoofd halen onszelf te zijn.

Je gevoel behoor je om te zetten naar stoer gedrag. Vooral niet laten merken dat je gecharmeerd van iemand bent. Onbereikbaar blijkt mega-aantrekkelijk!
Je moet in staat zijn een soort van 'Powerstruggle' aan te gaan.

Ingewikkeld? Ja.

Het blijkt dat als je het tegenovergestelde doet en laat zien dat je graag bij iemand wilt zijn, dat de interesse van een man vrij snel zal afnemen of nagenoeg verdwijnt. En dat is voor niemand leuk.
Helderheid, openheid, recht op je doel afgaan... daar win je het niet mee.
Nee, lekker thuis eerst een compleet scenario verzinnen... daar word je geil van!

Volgens handlangers van deze methode wordt vrouwelijke assertiviteit niet gewaardeerd, laat staan het nemen van initiatieven. Als je dan vraagt: Waarom niet? Krijg je als antwoord dat dat komt omdat mannen jagers zijn. Help me even... Mannen jagers? Vandaag de dag kunnen ze amper hun eigen kont afvegen! Maar goed. Laten we ervan uitgaan dat het klopt. Tja, dan mag je ze dat natuurlijk niet ontnemen door direct te zijn over je gevoelens. Heel logisch...
Blijkbaar is die uitdaging zo belangrijk dat het wel eens het verschil zou kunnen maken tussen scharrel en relatie (zie 'Fasesplan')

Ik probeer de logica echt te begrijpen, maar wie bepaalt dat een vrouw die recht op haar doel afgaat niet superverleidelijk is? Wie zegt dat een vrouw niet een mega-afknapper van dit hele gedoe krijgt en wie weet lopen zowel man als vrouw door dit achterlijke gedoe uiteindelijk wel De Ware mis.

Toch moet ik, als ik heel eerlijk ben (en dat ben ik dus niet in het begin), toegeven dat het werkt.
Als ik gedurende 'een project' een stapje terug zet, gaat het project ineens heel hard lopen.
Bel ik even niet, staat mijn mobiel ineens vol gemiste oproepen en sms'jes.

En als je het echt goed speelt staat zelfs de bloemist bij je aan de deur!
Al is dat meer voor gevorderden.

Ik heb ervaren dat afstand aantrekkelijk maakt. Helaas heb ik ook ervaren dat ik er chronisch onzeker van word.

Wat weegt dan zwaarder…

Wie heeft deze versiertactiek in hemelsnaam verzonnen?!
Liefde moet toch een spontaan gegeven zijn? Als je er eerst tal van strategieën op los moet laten is er toch niks spontaans meer aan?

Noem me naïef, maar volgens mij is het leven echt veel te kort voor deze onzin.

Wat is er ingewikkeld aan het woord helderheid? Behalve dat het vier klinkers heeft, bedoel ik?

Pffffffff. Alleen het schrijven over dit onderwerp bezorgt me al hoofdpijn.

Ik ben allesbehalve een afwachtend type en geduld is ook al niet mijn sterkste kant…
Conclusie: Ik lap alle spelregels lekker aan m'n laars!

Vraag me af of dit iets te maken kan hebben met het feit dat ik Prince Charming nog steeds niet heb gevonden?

Misschien moet ik mijn conclusie herschrijven.

Ben nu echt heel serieus aan het nadenken… maar ik kan geen andere conclusie trekken dan: 'Mannen, laat ons met rust met jullie jaagdrang en ga lekker in het bos konijnen vangen!'

## Speld in de hooiberg

Van vriendinnen krijg ik vaak te horen dat mijn 'lijst' van de ideale man te lang, te uitgebreid, te kritisch en bovenal niet realistisch is.

Hoezo?!

Ik wil nou eenmaal niet graag genoegen nemen met minder dan alles op dat gebied.
Nee, I want it all!!

Innerlijk gaat voor uiterlijk? Right, en de paus draagt geen jurk.

Ik wil een echte mannen-MAN! Maar ook iemand die lief, vrolijk, stoer, zelfverzekerd, slim, charmant en attent is. Iemand die humor heeft, trendy is en die me op z'n tijd romantisch weet te verrassen. Iemand die betrouwbaar is, verantwoordelijkheidsgevoel heeft, intelligente conversaties kan voeren en me mentaal kan prikkelen.
Daarnaast moet hij groter zijn dan ik, uiterlijke verzorging belangrijk vinden (lees = woest aantrekkelijk zijn), liever geen snor, maar zeker geen baard hebben, in het bezit zijn van een sportschoolabonnement (lees = een gespierd torso + V-tje), kunnen knipogen en het liefst een versleten spijkerbroek met wit T-shirt dragen... En dan de sex... Het zijn maar vier lettertjes, maar geloof me, ook daar heb ik een uitgebreide lijst voor (maar dat zou alleen maar afschrikken).

Als ik eerlijk ben kan ik nog duizend-en-één dingen toevoegen, maar stiekem weet ik heus wel dat dat pas écht onrealistisch is en dat ik, mocht ik niet alleen over willen blijven...moet gaan schrappen.

Toch is dat schrappen moeilijker dan gedacht. Naast mijn kwaliteiten en seks-eisen heb ik namelijk ook nog het *afknaplijstje*.
Echt waar, het is bijna ziekelijk, maar ik kan op de kleinste dingen afknappen.
Een metroman kan aantrekkelijk zijn, maar als hij langer voor de spiegel staat dan ik is het exit.
Binnen zes maanden de woorden: 'Ik hou van je' uitspreken betekent

vluchten naar de andere kant van de wereld.
Hoge stoorfactoor is wanneer een man zich op de weg exact aan de voorgeschreven snelheid houdt.
Maar ook…
Witte sokken, te hoog opgetrokken broeken of hoogwaterpijpen. Slechte adem = direct vluchten, mobiel aan broek (AARRGHHHHH), rugzak, zuinigheid, te politiek correct, (over)beharing, gouden sieraden, gamen op de computer en zondagochtend tekenfilms kijken… gierende banden! Opschepperigheid, groot voorhoofd (lees: Flipper look), te zelfingenomen doet het ook niet al te best bij me, slappe handdruk, manier van eten…

Volgens mijn vriendinnen betekent afknappen gewoon even opknappen en kan je die storende factoren als bijvoorbeeld verkeerde kleding heel makkelijk veranderen. Volgens hen zijn kleine gedragsveranderingen en andere eventuele onvolkomenheden best te forceren.

Dat is nou net iets wat ik niet geloof. Kan er niet iemand die gewoon compleet aan alle eisen voldoet mijn leven binnenstappen?

Denk het niet.

Echter… er is nog hoop. Laatst las ik het volgende:

*'Mannen wees gewaarschuwd, er is een geduchte concurrent op komst, RoboBoyfriend. Hij heeft nooit zweetvoeten, houdt niet van de kroeg en kijkt niet naar andere vrouwen. Via de Let's Talk modus kan RoboBoyfriend uitgebreid over zijn relatie met je vriendin praten. Heeft ze geen zin in zijn gewauwel dan verstomt het gesprek met een druk op de knop. Hij is zelfs aardig voor de schoonfamilie en neemt haar favoriete soaps op.*
*Hij is ook zeer attent. Op gezette tijden bestelt hij online bloemen voor zijn lief! Ruimt de vuile was achter zich op en zijn gezichtsuitdrukking is naar wens aan te passen'*

This is too good to be true!

Ik geef mijn zoektocht naar de speld in de hooiberg nog even de tijd, met in mijn achterhoofd wetende dat er zoiets bestaat als de RoboBoyfriend!

Toch vraag ik me nog iets, niet geheel onbelangrijks, af...
What about the sex?
Misschien is de RoboBoyfriend toch niet zo'n best alternatief en moet ik ophouden te denken dat de liefde zo oppervlakkig is, mijn eisenpakket minimaliseren en weer gaan geloven dat liefde, echte liefde blind maakt. Ook voor witte sokken. En baarden. En zuinigheid. En te hoog opgetrokken broeken. En grote voorhoofden. En slappe handjes. En slechte adem...

Wat zal het een opgave worden. Aaaaaargh!

## Goudeerlijk of toch een leugentje om bestwil?

Eerlijkheid duurt het langst.
Zeggen ze.

Iedereen heeft het altijd maar over eerlijk zijn.

'Zeg eens eerlijk....'
'Maar als je echt eerlijk zou zijn dan...'
'Eerlijk gezegd...'
'Ik moet je eerlijk bekennen dat...'

Men zegt wel eens dat eerlijkheid een kernwaarde in het leven moet zijn en doorgaans profileert men zich zo ook graag.

Eerlijkheid, jokken, manipuleren, hypocrisie, transparant, straight to the point, botheid... volgens mij wordt het één nog al 's verward met het ander.

Ik beschouw mezelf als een eerlijk persoon en toch ben ik er zeker van dat ik tenminste één keer per dag een leugentje vertel.
Soms doe ik het uit sociaal oogpunt, soms om mijn verhaal wat leuker of interessanter te maken en soms zelfs uit puur egoïstische redenen.

Ik kan eerlijk (ja, daar is 'ie weer) zeggen dat bijna al mijn leugentjes sociaal verantwoord zijn. Maar ja... wanneer gaat dit eigenlijk op en wie beslist dat dan?

Laatst ging ik samen met twee vriendinnen op kraamvisite.
Een schattig klein poppetje. Moeder was in de zevende hemel.
Trots vertelt ze over de helse bevalling etc. Ze eindigt het verhaal met: 'Wat is ze mooi, hè. Vinden jullie het niet de mooiste baby van de wereld?'
Mijn vriendin kijkt met grote ogen naar de pasgeborene en zegt:
'Mooi? Uhhhh...ze is uhh... apart.'

Oké, de wurm was allesbehalve mooi, maar moet je dat nou echt zeggen?

Nee, dan kan je beter een beetje jokken, of misschien nog beter... zwijgen.

Ander voorbeeld.
Een andere vriendin liep letterlijk met haar hoofd in de wolken. Wat was ze verliefd.
Op een verjaardag kon ze het niet laten iedereen te vertellen hoe gelukkig ze was. Ze had de prins op het witte paard gevonden. Duizend procent zeker was ze van haar zaak.
Hij was zelfs zo lief dat hij een koosnaampje voor haar had. 'Poentje'.
Poentje??!!
Poentje is Surinaams voor kutje!!

Moet je op zo'n moment nou eerlijk zijn en botweg zeggen dat dat lieve, fantastische, geweldige vriendje van d'r, haar 'kutje' noemt, of is het op zo'n moment beter om je mond te houden en de persoon in kwestie, voor zolang het duurt, op die roze wolk laten zitten?

Er zijn ook mensen die in een relatie op grappende wijze, na de sex zeggen: 'Jeetje, moet ik weer mijn bed verschonen. Is al de tweede keer deze week. Eergister was er een andere lover bij me, vandaar'. De opmerking wordt weggelachen.
Als maanden later de nieuwe vlam via-via (het gaat namelijk altijd via-via) erachter komt dat zijn vriendinnetje is vreemd gegaan en voor haar voeten krijgt geworpen dat ze niet eerlijk is geweest, hoeft ze alleen maar terug te grijpen naar deze opmerking en te zeggen dat ze het al zo raar vond dat hij het zo luchtig opnam. Dat is de truc.

Is bovenstaande eerlijk of heet dat manipulatie?

En wat doe je als je weet dat de vriend van je vriendin buiten de deur heeft gegeten? Leg je dat dan op tafel of doe je dat niet omdat de kans bestaat dat jij dan uiteindelijk de gebeten hond bent? En zeg je dit dan niet omdat je oprecht vindt dat het niet aan jou is, of heeft het met egoïsme te maken?

Tja...

Is het key-woord in deze niet 'nuance'?
Gaat het niet meer om sociale vaardigheid en bewoording?

Als een man namelijk na date vijf zegt dat hij met zichzelf in de knoop zit en dat het echt niet aan jou ligt maar dat hij afstand wil, weten we allemaal dat we keihard gedumpt worden.
Toch denk ik dat we liever dit horen dan wanneer iemand recht voor z'n raap zegt dat je op alle fronten bent tegengevallen. Toch?

Ook wanneer iemand eerlijk zegt dat je dikker bent geworden of dat je toch een beetje tegenvalt in bed, of dat je vriendin knapper is, of dat je zus een trut is, of dat je kledingstijl beroerd is of dat het buurmeisje qua ontwikkeling veel verder is dan jouw kind, of dat je je werk niet naar behoren hebt gedaan... is dat misschien wel eerlijk, maar zeker niet iets wat we willen horen.

Hypocriet of niet. Volgens mij willen we zelf beslissen over eerlijkheid en de vorm daarvan. En is het niet 'Eerlijkheid duurt het langst', maar 'Vertrouwen duurt het langst'.
Ik heb het dan over het vertrouwen in jezelf.
Intuïtie is er niet voor niks. Als dat goed zit kan je de manier waarop iemand zich eerlijk naar jou uit, filteren en het op een manier interpreteren waardoor je er iets mee kan en kan je er niks mee, dan gooi je die eerlijke mening lekker de prullenbak in zonder dat je er ook maar één minuut van wakker ligt.

Eerlijkheid... Vertrouwen...
En toch is soms een beetje jokken het veiligst. Voor iedereen.

BEZET

## Schaam, schaam, schaam en helaas... niet plaatsvervangend

Eén van mijn grootste issues (heb er meerdere) is dat ik niet naar het toilet kan in het bijzijn van anderen (niet TE letterlijk nemen).
Om een voorbeeld te geven van hoe serieus dit is: ik heb zeven jaar samengewoond en al die jaren heb ik er moeite mee gehad.

Een weekendje weg met een leuke man, laat staan twee weken, is dan ook een drama.
Je weet dat DE dag zich vroeg of laat aandient en om die reden ben ik dan al voor vertrek aan het zoeken naar creatieve oplossingen voor dit cruciale moment.

Die creatieve oplossingen worden bedacht, maar komen helaas maar zelden tot uitvoering. Op de één of andere manier word ik niet begrepen of niet met rust gelaten (niet lang genoeg voor een drol moment).

Een weekendje weg met een man heeft dan ook als gevolg dat ik op de terugweg een buik heb staan van hier tot Tokio en af en toe even een paar stappen krom moet lopen in verband met darmkrampen.

Ik heb heus pogingen ondernomen om van mijn poep-fobie af te komen, maar helaas allemaal zonder resultaat.

Ik ben nou eenmaal iemand die het eigenlijk alleen kan wanneer er niemand in de buurt is en dan ook nog 's het liefst op mijn eigen toilet.

De één die gaat zitten, doet z'n ding en klaar. Ik niet. Ik heb totale rust nodig. Voor mij geldt: totale ZEN, anders geen drol.
Ik moet er honderd procent zeker van zijn dat niemand me kan horen voor het geval er 'natuurlijke gassen' (zoals mannen het vaak noemen) ontglippen en soms, heel soms, heb ik zelfs een boekje nodig. Echt, ik ben net een vent.

Ik weet, het is te belachelijk voor woorden, maar toch...

Ik ga nu een verhaal vertellen dat ik het liefst mee m'n graf in had genomen, maar omdat men zegt dat schrijven helpt bij het verwerken van traumatische gebeurtenissen doe ik een poging.
*Ik probeer niet te beseffen dat straks ook mijn vader en potentieel fase-vijf-materiaal dit leest.*

Een gezellige avond eindigt in een nachtmerrie. Dit is wat er gebeurde.

Met een aantal collega's gaan we wat eten in Amsterdam. Na uitgebeid de menukaart te hebben bestudeerd kies ik voor de tonijn. Om 23.00 uur zeg ik mijn collega's gedag en bedank ik voor het heerlijke eten. Ik stap de auto in, zet een muziekje op en knoop mijn broek in de Al Bundy stand.
Al snel beginnen mijn darmen lichte stuiptrekkingen te vertonen. Met mijn hand in mijn broek, ja, als je de Al Bundy doet moet je het ook goed doen, bel ik mijn collega die ook tonijn heeft gegeten met de vraag of ook zij zo'n last heeft van haar maag.
Ja dus! Oh, oh! Nee toch... verdomme... ALARM. Een klein paniekje volgt.

Al snel wordt duidelijk dat de tonijn een geheel eigen leven begint te leiden met als thuisbasis; mijn maag!

Ken je dat gevoel dat je zo ontzettend naar wordt, dat al het bloed uit je gezicht trekt en dat je weet dat als je niet snel, heel snel een toilet vindt, dat je terplekke de hele boel onderschijt?

Dat gevoel achtervolgde me twintig kilometer lang!

Eenmaal thuis ren ik de trap op en vlucht het toilet in.
Met de deur wagenwijd open heb ik een half uur met geluiden en al, letterlijk de hele pot volge.....(vul in) Gelukkig ben ik alleen thuis.

Zwaar beroerd, maar opgelucht loop ik de woonkamer binnen. Denk nog even dat ik hallucineer vanwege de voedselvergiftiging. Ik zie namelijk een soort grote vlek op de bank. Ik wrijf nog even in mijn ogen waarna het silhouet ernstige vormen begint aan te nemen...van mijn vriendje. Die net een week de sleutel van mijn huis heeft.

Ik krijg het er nog benauwd van.

Terwijl niemand op dit moment een sleutel van mijn huis heeft check ik tot op de dag van vandaag toch altijd eerst even de woonkamer, gewoon voor de zekerheid...en de deur... die is na deze zwarte bladzijde uit mijn leven altijd op slot!

## Vriendjes

Je hebt natuurlijk de echt pure, *ik ga voor jou door het vuur*-vriendschap. De *gezellige, alleen leuk om te shoppen*-vriendschap. De *stap en lach, maar niet voor een goed gesprek*-vriendschap. De *vrouw–vrouw* vriendschap. De *man–man* vriendschap en de *man–vrouw* (echt... het is mogelijk) vriendschap.

Vriendinnen van mij voegen in dit rijtje ook nog graag de 'scharrelvriendschap' (lees: sexvriendjes) toe.
Mij niet bekend, maar wel meer dan eens aangeraden.

Voor mijn vriendinnen een meer dan welkome vriendschap.
Geen lasten, alleen lusten.

Deze vorm van vriendschap was niks voor mij, tot ik Steve ontmoette. Een leuke gezellige jongen, mooi lijf met V-tje (I Like) en op z'n tijd ook best... ik probeer nu iets intellectueels te verzinnen, maar lukt niet...geil, dan maar.

We spraken een paar keer af en werden, zoals wij dat noemden, 'knuffelvriendjes'.

Hoewel mijn vriendinnen hoopten op de 'scharrelvriendschap', namen zij genoegen met het nieuws dat ik een 'knuffelvriendschap' had ontwikkeld.

Maar, wat is dat dan?

Een knuffelvriendje is iemand waar je je lekker bij voelt. Iemand waar je een film mee kijkt terwijl je in z'n armen ligt. Iemand die af en toe zorgt voor dat beetje genegenheid dat een mens nodig heeft. Iemand bij wie je seksuele spanning voelt, maar weet dat het beter is er niet aan toe te geven.
Gewoon iemand... die je zo nu en dan een knuffel geeft.

Heerlijk toch?!
Niks geen dates. Geen diepgaande gesprekken. Geen discussies. Geen kwetsbaarheid (daar heb je immers weer andere

vriendschappen voor). Gewoon gezellig.

Nou ben ik niet van steen en aangezien Steve niet bepaald achteraan heeft gestaan bij het uitdelen van de juiste beautygenen, was het soms best moeilijk het alleen bij knuffelen te houden.
Toch, en ik denk dat dit komt doordat wij elkaar beiden nooit als serieus relatiemateriaal hebben gezien, lukte dit aardig.

Na een lange tijd ('knuffelvriendjes' zie je namelijk niet wekelijks) sprak ik weer eens af met Steve.
Dit keer kwam hij binnen met in zijn tas een tandenborstel en onderbroek. Hij legde zijn spulletjes neer, liet het bad vollopen en 5 minuten later zaten we
er samen in!

Het verdere verloop van die avond hoef ik niemand uit te leggen.
Voor wie het nog niet snapt... Die avond werd onze 'knuffelvriendschap' ingeruild voor de 'scharrelvriendschap'.

De volgende dag had ik allesbehalve een goed gevoel over het hele gebeuren.
Dit sloeg zo nergens op en dit was ook zo niet *mij*.
Ik besloot mijn beste vriend (ja, ja... een man) in vertrouwen te nemen. Zijn advies:
'Schat, het wordt tijd dat je dat brave-meisjes-imago overboord dondert. Gooi je haar los en doe wild!' (Had misschien, in verband met iets meer diepgang, toch beter bij een vriendin aan kunnen kloppen.)

Met bovenstaande raad (of was het slechts een tip, kennisgeving of toch niet meer dan een suggestie?) in mijn achterhoofd besloot ik naar mijn gevoel te luisteren.

Ik belde mijn 'knuffel...' of nee, 'scharrelvriendje' en telefonisch kwamen we overeen dat het best mogelijk was terug te gaan naar de 'knuffelvriendschap'.

Simpel. Hoe moeilijk kon het zijn...

Nou... Moeilijk dus! There's no way back!

Die dag werd er wederom niet alleen geknuffeld en een week later ook niet...

Je zou zeggen: 'Wat is er mis mee?' Wel, een heleboel.
De mannen waar ik het bed mee heb gedeeld vonden mij stuk voor stuk leuk (lees = Geweldig!) en hadden vergevorderde of tenminste beginnende *vlindertjes.*

Hoewel ik zelf niet verliefd was op mijn knuffel en hij dat ook wist, vond ik het behoorlijk klote om na onze bedsessie te horen dat hij dat ook niet was en mij slechts zag als een maatje. Weliswaar een goed maatje, maar verder NADA.

Ho! Stop!
*Ik* mag dat vinden, maar *hij* moet verliefd zijn of worden! Zo werkt dat nou eenmaal. Altijd al zo geweest.

Ik weet het... typisch een complexe vrouwenreactie. Als hij had gezegd dat er verliefde gevoelens van zijn kant waren, had ik het waarschijnlijk zwaar benauwd gekregen. Nee, dat wilde ik zeker niet horen, maar dit... dit eigenlijk ook niet. Moeizaam.

Ik wil het gewoon graag zo houden dat degene met wie ik tussen de lakens lig wild van me is en me de volgende dag belt om te zeggen dat hij me graag weer wil zien omdat ik fantastisch, leuk, lief, gezellig, mooi, intelligent, sensationeel en... ook nog eens geweldig goed in bed ben.

Hellooooooo! I'm sexy, I'm bright, I'm fucking dynamite!
Zo is het altijd geweest en zo moet het ook altijd blijven.

Ik ga dus doen alsof hij nooit heeft gezegd mij alleen te zien als een maatje en mochten we nog een keer afspreken... dan is praten verboden!

Ach, de overstap van 'knuffelvriendje' naar 'scharrelvriendje' was zo gemaakt, dus mocht ik dat zinnetje nou echt niet kunnen verdringen, dan kunnen we altijd nog 'Hyvesvriendjes' worden.

SUPERLIGHT
BUD LIGHT
LIGHT COUNTRY

## Alles of Light

Als de maandelijkse ellende begint vreet ik werkelijk alles wat los en vast zit.
Er bekruipt me dan het gevoel alsof ik na drie maanden 'Expeditie Robinson' eindelijk een keer een proef gewonnen heb; eten zoveel je kunt.

Calorieën! Dat is waar het die week om draait.

Nou heb ik het geluk dat ik geen aanleg heb om dik te worden, maar dan nog gaat dat volproppen natuurlijk niet geheel ongestraft.

Letterlijk gezien valt het misschien allemaal best mee, maar tussen de oren gaat het na dit korte voedingspatroontje helemaal mis.
Ik zie en voel mezelf dan een oude Bessie Turf, een dertien maanden zwangere vrouw, een wandelende rollade, een afgekeurde gehaktbal... goed, ik draaf door.

Niet alleen mijn spiegelbeeld is gedurende de maandstonden troebel, ook ben ik zeer vatbaar en vooral beïnvloedbaar voor alles wat te maken heeft met diëten. Door de jaren heen heeft dit mij een heuse kenner op het gebied van afvallen gemaakt en dan vooral hoe je dat doet zónder te lijnen...

Een kleine greep uit de vele, door mij reeds onderzochte, 'wondermiddelen':

Wat dieetpillen betreft... been there done that, got the t-shirt.
Allemaal ONZIN!! Echt waar. Ze beloven van alles, maar doen niks.
Nou ja, niks... een tijdje heb ik Stackers gebruikt (en dan de serieuze variant). Ik viel geen kilo af, wel stond ik om 03.00 uur 's nachts volkomen hyper mijn huis te stofzuigen, zat ik op het werk met trillende handen achter de computer en kreeg ik, als extra cadeautje, ook nog 's hartkloppingen.

Dan heb je ook nog de pillen waarvan je ongeveer zes keer per dag hysterisch naar de wc rent. Het lijkt dan alsof je kilo's verliest, maar na een week zitten deze kilo's, plus één extra als dank voor het gebruik van deze methode, er weer net zo hard aan.

Dan Telsell...

Via dit medium heb ik meerdere malen verschillende *'It's amazing...'* artikelen besteld. De verkoopcijfers van Telsell hebben gedurende 'mijn week' een aardige piek.
Met enige zekerheid kan ik zeggen dat ik in het verleden toch zeker het maandsalaris van drie telefonisten moet hebben betaald.
Toen ik de slogan '- 5 kilo in 1 week met Trimgel, zonder extra beweging' hoorde, was ik direct om. *Er is inderdaad niet zoveel voor nodig, nee.*
Ze noemden het revolutionair. Ik heb gesmeerd als een gek, maar geloof me, het resultaat was allesbehalve revolutionair.

Hierna volgde de saunabelt.
Een groot plastic ding dat je om ieder gewenst probleemgebied kan wikkelen. Vervolgens verwarmt het de huid en door de hitte zouden dan de vetcellen als sneeuw voor de zon moeten verdwijnen. Als sneeuw voor de zon? Bedoelen ze daar die brandwonden die ik opliep, mee?

Toen ik deze teleurstelling te boven was heb ik in een dolle bui de Vibra Tone met, jawel, gratis afslankcrème besteld.
De Vibra Tone moet je zien als een soort van trillingsmassage-gordel die 'gegarandeerd' letterlijk het vet van je buik, billen en benen trilt. Hartstikke mooi, maar ook dit deed niet wat het beloofde.

Zelfs na dit debacle had ik mijn lesje niet geleerd en dus werd een paar weken later de Ab-King–nog-wat bezorgd.
Een groot rood gevaarte dat een heus wasrekje verzekerde en die na gebruik, als je het inklapt, onder ieder bed past. Behalve onder mijn bed dan.

De illusie die naast een strak lijf wordt gewekt is dat je tijdens de 'workout' van alles kan doen. Schoonmaken, strijken, bed verschonen, glimlachen...Alles is mogelijk. Wat je niet ziet is dat overal een snoer aan zit dat uiteraard in een stopcontact moet. Het zoveelste fabeltje. Ik ga niet stofzuigen als ik met mijn saunagordel of Ab Master in het stopcontact zit. Dat zou de boel heel ingewikkeld maken.

Na het Telsell avontuur dan eindelijk opgegeven te hebben kwam ik via-via terecht bij Bikram yoga. Volgens menigeen moest dit, qua gewichtsverlies, 'top of the bill' zijn. Anderhalf uur oefeningen doen in een verwamde ruimte. Het zou het helemaal moeten zijn.

De eenheid van lichaam, geest en ziel zal me een worst zijn, ik ging voor die vetverbranding…maar naast liters vocht raakte ik ook hiermee niks kwijt.
Nee, ik raakte niks kwijt, maar kreeg er wel iets bij, gratis. Smetvrees! Wat zijn er toch onsmakelijke mensen op deze wereld. Doe wat aan die
lichaamsgeuren en overbeharing…alsjeblieft!

Allemaal dikke vette BS!

Maar, geloof het of niet… tegenwoordig heb ik voor deze mega vrouwonvriendelijke periode de oplossing gevonden:
Light-producten! Tadaaaaaaaaaaaa!
Frisdrank, kaas, worst, jam, brood, koek, snoep, ijs, bier, werkelijk alles is verkrijgbaar in de variant LIGHT (zelfs maandverband en tampons!).
Dit is pas revolutionair en amazing!

Dat alles dezelfde Tupperware-achtige smaak heeft (behalve de tampons, dan) en je papillen na zo'n week compleet afgestorven zijn, neem ik voor lief.

Als 'DE WEEK' voorbij is kan Light me weer even gestolen worden en ga ik gewoon weer voor de heavy shit. Helaas begint het na drie weken weer van voor af aan… (las ik nou dat sommige vrouwen op hun 40ste al in de overgang belanden?)

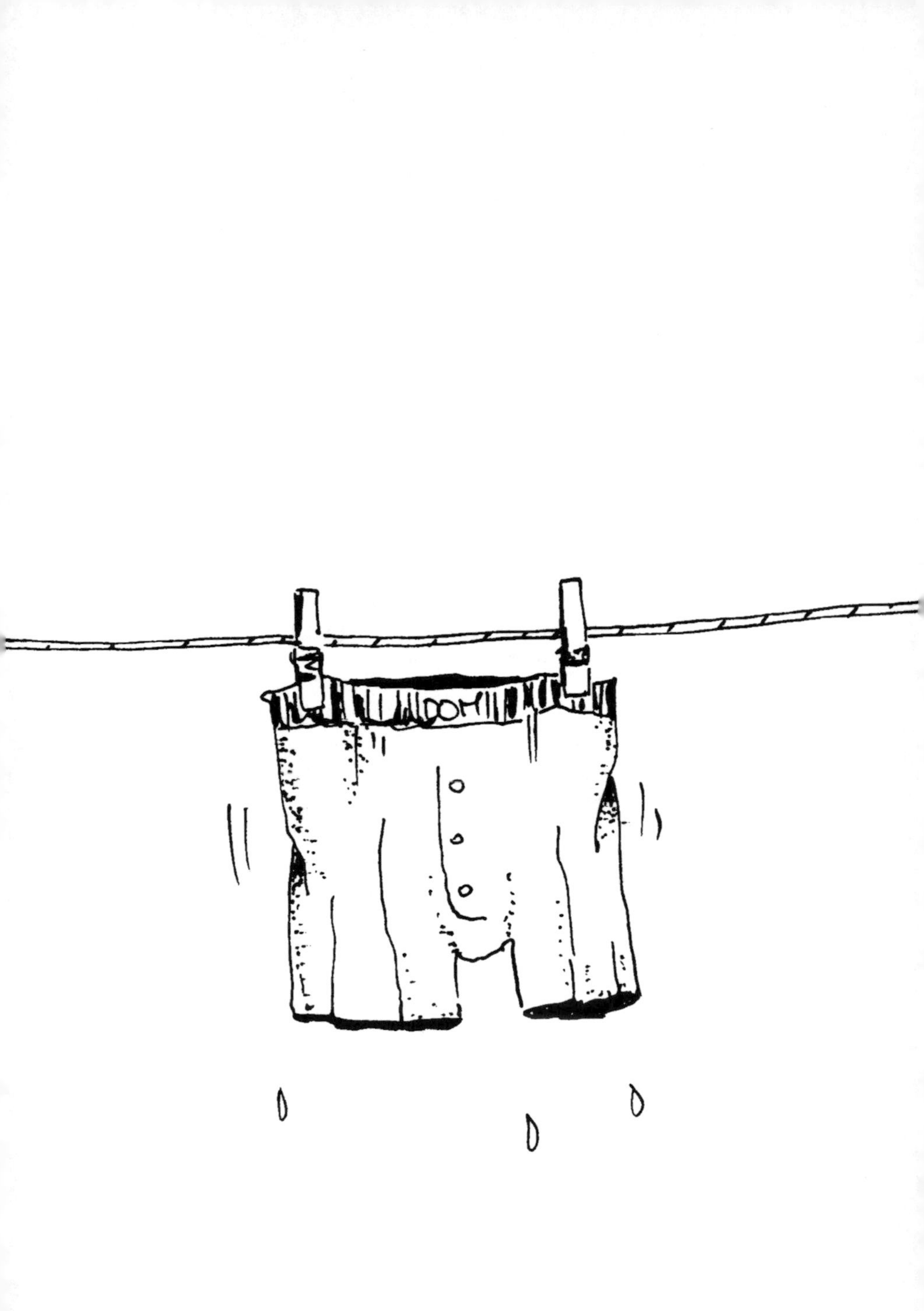

## Een vrijgezel die gaat nooit slapen

Tot je dertigste wordt vrijgezel zijn maatschappelijk geaccepteerd.
Ben je boven de dertig en vrijgezel dan ben je zielig.

Vriend en vijand krijgen ineens het idee je te willen koppelen aan die oh zo leuke broer van een neef van een vriend die weer een buurman met een achterneef heeft. *(Herkenbaar? Zo niet cool dit soort acties.)*
Ga je daar niet op in, dan krijg je zonder echte diagnose het stempel 'bindingsangst' opgedrukt.

Ongevraagde zogenaamde inzichten worden zonder pardon op je voorhoofd geplakt.
Te veeleisend, perfectie bestaat niet, egoïstisch, je kan niet eeuwig in je tweede puberteit blijven hangen, what about je biologische klok?
Die laatste is het venijnigst.

Ik vraag me af...
Krijgen brave gesettelde burgers die eigenlijk al te lang in een ongelukkige relatie zitten, maar nou eenmaal graag als stel betiteld willen worden en dus doen alsof ze heel gelukkig zijn ook dit soort opmerkingen?

Natuurlijk mist iedere vrijgezel af en toe een beetje genegenheid en zou het leuk zijn als je voor dat ene überhippe feestje een partner zou hebben. Of dat je je niet langer kan identificeren met de rol van Carrie in Sex at the city.
Tuurlijk zou je willen dat er iemand thuis is als je van een stressvolle dag op het werk op de bank neerploft. Je dit jaar eens geen kerstkaarten ontvangt met: 'Dit wordt jouw jaar!' en gewoon naar die verplichte kerstborrel met z'n tweetjes kan gaan in het kader van lastenverdeling.
Dat er iemand af en toe een bloemetje voor je meebrengt (of is dit wishfull thinking?).
Dat je niet meer elke avond naar de afhaalchinees hoeft te rijden.
Dat je bed eindelijk eens voorverwarmd wordt door iemand of dat je voeten na een dag op 10 cm hoge hakken door andere handen dan

die van jou worden gemasseerd.
Niet te vergeten de rust en stabiliteit die een relatie met zich meebrengt. Het gevoel dat er om je gegeven wordt en er altijd een brede schouder aanwezig is.

Oeps, ik dwaal even af… ging dit stukje niet over de voordelen…?

Fijn hoor zo'n brede schouder, maar wees nou 's eerlijk… er zitten toch ook genoeg positieve kanten aan het vrijgezellenbestaan?

Misschien vinden wij, vrijgezellen, het wel heerlijk dat we eigen baas zijn over de afstandbediening. Dat we kunnen sjansen met mannen zonder dat je daar bij thuiskomst een nare bijsmaak aan overhoudt. Je zonder schuldgevoel je ware jachtinstinct de vrije loop kan laten. Je schuin kan liggen in je bed. Uitgaan wanneer je wilt en geloof me, uitgaan krijgt weer een hele nieuwe dimensie.
Dat je die lelijke verwassen, maar oh wat zit ie lekker, Hema-onderbroek gewoon kan dragen wanneer je wilt. Dat je geen woorden hoeft vuil te maken aan het onderwerp schoonmoeder. Geen gezeur over sex als je net zwaar geconcentreerd die bestseller aan het lezen bent. Niet hoeven te plannen. Dat je prinses in eigen huis bent, zonder dat er een koning boven staat. Je je ziek kan kopen zonder op je vingers getikt te worden. Het dopje altijd op de tandpasta zit. De toiletbril altijd fijn naar beneden is. Je kan e-mailen en Hyven zonder dat er iemand over je schouder meekijkt. Je geen vuile boxershorts hoeft te wassen. Je op die ene vrije avond geen huis vol bierdrinkende mannen op de bank hebt zitten. Je niet jaloers hoeft te zijn op die beeldige collega van je man, maar dat je zelf die beeldige collega bent en dat je gewoon overal en altijd je eigen zin kan doen.

Toch genoeg redenen om happy van te worden dacht ik zo.
Waarom heeft men dan geen geloof in de happy single?

Heb ik zélf wel geloof in de happy single?

Is het inderdaad een keus die je maakt, of maak je jezelf wijs dat het een keus is, zodat je jezelf, bewust dan wel onbewust, kan beschermen tegen het gevoel dat eenzaamheid heet?

Laten we al het bovenstaande vergeten en leren gelukkig te zijn met al het moois dat het leven te bieden heeft. Dan komt het echt allemaal goed.

Oké, dit is makkelijker gezegd dan gedaan. Het is een proces dat soms lang kan duren, maar ben je het proces voorbij dan zul je zien dat je zowel happy kunt zijn als single en in een relatie met liefde de onderbroeken van je vent wast.

Wijze woorden.

## Oost west thuis best

Wat een Nederlandse Surinamer, Turk of Marokkaan heeft wanneer ze voet aan grond zetten in hun vaderland, dat heb ik met Barcelona. Nee, ik ben niet Spaans, maar zodra ik land op Barcelona is daar het 'thuisgevoel'.

Barcelona is mijn BOOST!

Begrijp me niet verkeerd. Ik hou van Nederland en dan vooral van Amsterdam, maar alles wat ik hier mis, vind ik daar.

Een prachtige stad met prachtige, lieve, leuke, spontane mensen. Veel nationaliteiten, mooie cultuur, fantastisch uitgaansleven, heerlijk weer en strand! Een schoon strand!

Ik heb er drie maanden, samen met vriendin Jennifer, gewoond.
Drie te gekke maanden!
Inmiddels ben ik drie maanden terug, maar ook al weer drie keer op en neer geweest. *Je zou bijna denken dat ik iets met drie heb.*

Beiden zijn we lang en blond. Inderdaad, twee eigenschappen die in Spanje een hoop deuren openen. Drie maanden gingen we door het leven als Paris en Nicole.
Zo hebben we nooit de entree voor een discotheek hoeven betalen en werden de drankjes, na wat babbeltjes met de barmannen, steeds goedkoper en wij steeds lammer.
Het VIP-terras werd ons tweede thuis en in het uitgaanscircuit waren we graag geziene gasten.

We hebben prachtige, mooie, nieuwe ervaringen opgedaan. Leuke, interessante mensen ontmoet, maar het allerbelangrijkste, nog nooit heb ik zo lekker in m'n vel gezeten als toen.

Om een beeld te geven van mijn leven in Barcelona, hieronder mijn laatste e-mailverslag dat ik aan het thuisfront stuurde:

*Lieve allemaal,*
*Voor de laatste keer een verslagje…*

*School is inmiddels afgerond en geloof het of niet… we hebben beide ons diploma gehaald op maar liefst drie niveaus!!*
*Bloemen zijn welkom aan ons Nederlandse adres.*

*Maandag: SANT JUAN!!*
*De nacht van Sant Juan markeert het begin van de hete maanden vol strandfeestjes, festivals en een bruisend nachtleven.*
*Barcelona pakt het groots aan. Vuurwerkspektakels, concerten en vooral beachparties!…*

*Na even snel iets te hebben gegeten (ook in Barcelona lag onze prioriteit, in tegenstelling tot de rest van de bevolking en toeristen, niet bij het eten) zijn we samen onze vriendinnetjes Janneke en Rachel naar het strand gelopen.*
*Duizenden mensen in opperbeste feeststemming. Vuurwerk, kleedjes, drank, koelboxen, hapjes etc.*
*Viva de zomer!*
*Jammer alleen dat WIJ als echte Hollanders nu eens een keer geen eigen eten en drinken hadden meegebracht, daar stonden we dan letterlijk met lege handen!*

*Later die avond hebben we vanaf de loungebanken bij 'Carpe Diem' naar het vuurwerk gekeken om vervolgens los te gaan bij de 'Shoko' .*
*De toegangsprijzen waren deze dag uiteraard flink gestegen.*
*Aangekomen bij de 'Shoko' (zijn we niet veel geweest, dus geen connecties) werden we van top tot teen bekeken, er volgde een stilte en toen…*
*Ik: 'We are on the guestlist.'*
*Portier: "Oh really? Under what name?"*
*Ik: 'Linda…'*
*Hij zocht in zijn lijst en daar stond de naam Linda + 10. 'Ja' riep Janneke 'There she is.' En hup we waren binnen.*
*Na de 'Shoko' volgde een kroegentocht en als laatste toch nog even*

*discotheek 'Opium' in (tja... je zal maar iets missen).*

*Kapot, maar voldaan zochten wij om 07.00 uur onze casa op.*

*Dinsdag eerst naar de 'Kasbah', waar Jen, door oorzaak alcohol, niet meer helemaal het toch behoorlijke gat van het toilet kon vinden en dus een klein beetje rand meepakte waardoor ze over haar broek pieste.*
*Inmiddels in de 'Kasbah' vrienden geworden met de band en zo zat Jen de laatste keer in de 'Kasbah' met een natte broek achter de bongo.*
*(Jammer dat haar ritmegevoel niet zo best is en het iedereen opviel dat zij niet in de band hoorde...)*
*Daarna nog even naar 'Up & Down' (de 1e x dat we daar waren, maar desalniettemin werden we ontvangen met Champagne) waar een R&B feest gaande was. Top!!*

*Woensdag naar 'Agua de Luna' met onze Spaanse amigos.*
*Topavond.*
*Bij binnenkomst kreeg je een lootje.*
*Om een uur of vier werden de nummers omgeroepen.*
*Onze Jen had gewonnen en moest, in een bomvolle tent, samen met de mannelijke winnaar dansen (ook nu werkte haar bijzondere motoriek op ieders lachspieren).*
*Jen kon alleen maar cynisch uitbrengen: 'Gelukkig zijn er niet zo veel mensen.'*
*Ze moet hebben gedacht... ach, ik sta nu toch al voor lul, want een half uur later stond ze ineens op de dansvloer met een helm op haar hoofd! Een minuut daarna stond Janneke ernaast met ook een helm en zijn Rachel en ik popcorn gaan uitdelen (wie weet doe ik 't wel heel goed als 'Candy girl' in discotheken)*
*Het sloeg allemaal nergens op, maar hilarisch.*

*Natuurlijk waren we weer de laatste die vertrokken...*

*Donderdag naar 'Mojito' waar het thema van de avond 'It all happens on the beach' was.*

*Het decor, afgezet met rood koord (lees = verboden toegang) moest een strand voorstellen.*
*Natuurlijk maakte dat voor Janneke weinig uit en zo zat ze binnen 5 minuten achter de koordjes met zandschepjes en badeendjes te spelen…*

*Rachel heeft de avond van haar leven gehad en is meegegaan met Alfredo (werkzaam bij Mojito).*
*Toen ze terug kwam was ze echter totaal verbouwereerd… de man had alle muren in zijn huis in een andere kleur geverfd. De blauwe muur was om zijn hoofd leeg te maken, de groene om het buitengevoel in huis te halen en voor de rode muur ging hij regelmatig op een kussentje zitten om liefde te voelen! Verder waren de kussens op zijn bank voorzien van plastic, maar daar stond wel tegenover dat er een fitnessroom was… van 1 x 1m.*
*Rach heeft even voor de rode muur gezeten en geprobeerd om het gevoel van AMOR op te wekken, maar helaas…. Gierende banden!!*

*Vrijdag de laatste keer 'Mojito' waar onze Spaanse vrienden een afscheidsfeestje hadden georganiseerd met een hoop chupitos.*
*Jullie mogen best weten dat zowel Jen als ik last hadden van volle traanbuisjes.*

*Het was een topavond met veel muziek, drank en knuffels. Een avond waarin we afscheid moesten nemen van al onze lieve, nieuwe vrienden.*
*De laatste avond dat om 06.30 uur het licht uitging. SNIK!! (lees = dikke, dikke tranennnnnnnnnnnnnn.)*

*Zaterdag (na een paar krappe uurtjes mijn bed te hebben gezien) als een dolle het huis schoongemaakt en ingepakt. Daarna nog even bijkleuren op het strand en vervolgens nog een laatste keer tapas eten bij ons favoriete tentje.*
*Om 2.00 uur (ach, laten we nog één keer onverantwoordelijk doen) zijn we de auto ingestapt.*

*We waren fysiek en mentaal niet in staat om langer dan anderhalf uur*

*achtereen te rijden (Ja pap, we zullen het nooit meer doen.)*
*Het was een lange, lange rit, maar.... nog voordat we de Nederlandse grens over waren hebben we besloten dat we over een paar weken weer even een weekendje terug gaan.*
*Inderdaad... rustig afbouwen.*

Voor wie er nog twijfels over had... Ik heb de tijd van mijn leven gehad!
Het was meer dan FANTASTICH!

Barcelona, MUCHOS GRACIAS!

DRANK
VIVA

## One happy island

Ibiza is een Spaans eiland in de Middellandse zee en heeft een oppervlakte van 575 km2.
Het heeft een geweldige natuur en ook de baaien en rotspartijen zijn een must om te zien.
Ibiza is een populaire vakantiebestemming.
Ibiza, ook wel het mekka van de internationale dancescene genoemd...

NOW WE'RE TALKING!

Hartstikke leuk hoor natuur en rotspartijen... als je 50+ bent misschien, maar niet voor een losgeslagen dertiger.

Met drie vrijgezelle vriendinnen (waarvan één zich speciaal voor deze gelegenheid de singlestatus had aangemeten) ging ik voor twee weken naar het eiland waar alles mag en kan.

Na het uitpakken van de koffers en de eerste karaf Sangria dachten we ons om 24.00 uur in het nachtleven te storten.
Gepikt en gesteven liepen we richting een nachtclub. 'Huh? Helemaal geen rijen hier. Wat heerlijk!' De portier keek ons streng, maar vreemd aan. Het bleek dat het nog helemaal geen stap-tijd was. 'Probeer het over twee uurtjes nog eens.'

WAT?! Over twee uur? Over twee uur vallen bij mij de luiken dicht! Oké, verman je. Denk Ibiza, denk Zen...

Na het evenwicht tussen mijn Jing en Jang weer gevonden te hebben probeerde we het wat uren later nog een keer.

Nadat we € 60,00 per persoon hadden betaald om binnen te komen en vervolgens € 80,00 voor vier drankjes, ging onze portemonnee dicht en de wereld open.

Eerlijk is eerlijk... het was het wachten en het geld meer dan waard!

De club zag er fantastisch uit. De mensen mooi, vrolijk, excentriek of... naakt en de muziek top! Al snel gingen bij ons de knoopjes van beschaafd richting grensgeval ordinair en beleefden we die nacht onze Ibiza-vuurdoop.

Na een lange nacht ons volledig misdragen te hebben was het om 08.00 uur mooi geweest.
Bij thuiskomst kon gelijk de bikini aan voor het strand om vervolgens, belabberd als we ons voelden, te vertrekken naar Beachclub Bora Bora.
Wauw! Buiten dat het licht was en de vloer van zand, verschilde het niet veel van de club waar we net uit waren gerold.
Ook hier zag het er fantastisch uit en waren de mensen mooi, vrolijk, excentriek of... naakt en de muziek top!
Er werd gedanst, gegeten, gedronken en gesprongen op de strandbedjes. Hier en daar zag je een verliefd stelletje elkaar onsmakelijk aflikken of werd er, om het slaaptekort te compenseren, poedersuiker in een neus gestopt.

Na een grondige observatie en wat praatjes werd duidelijk dat de doelgroep van dit eiland grotendeels bestaat uit hoogopgeleide yuppen. Hoogopgeleide yuppen die allen bij het overvliegen van een vliegtuig hysterisch uit hun dak gingen.
Bizar!

Na drie dagen stappen stonden we weer heel even met beide benen op de grond. Ons afweersysteemwas bleek niet te zijn opgewassen tegen deze manier van 'onthaasten' en dus waren we verplicht ons dagbudget deze ochtend te besteden bij de plaatselijke apotheek.

Met koorts, snot en een hoop gehoest was het tijd voor een relax dag.
Waar kan je dit beter doen dan bij Playa Salinas? Volgens internet nergens. Right.

Na me geïnstalleerd te hebben, verheugde ik me op een normale stranddag. Lekker liggen, beetje insmeren en verder helemaal niks. Top.

Helaas dit werd me niet gegund.
Ik, die geen complete naaktheid verdraagt, werd geconfronteerd met een te dikke Duitser in Adamskostuum die nog net niet bij me op schoot zat (dit terwijl het naaktstrand 500 meter verderop lag). De man werd vergezeld door twee dames die om het uur hun Schnitzel lieten zien omdat het bikinibroekje werd verwisseld. VIES!
Je kan dan zeggen: 'Je hoeft er toch niet naar te kijken', maar één van de redenen waarom ik niet naar de sauna ga is omdat ik KIJK.
Ik ben nou eenmaal een kruisenkijker en dus kon ik het ook nu niet laten om stiekem een piekie te wagen.

Geloof me... ik voelde me al zwaar beroerd, maar nu werd ik ook nog 's kotsmisselijk.
Een spekbuik met een pielemuisje (meer dan dit kan ik er, in zijn geval, niet van maken. Of wacht,... kan het ook Bratwurstje noemen).
Hoe durft hij! Bah!

Een half uur later stond er een paar meter verderop een andere man heel onsmakelijk in zijn complete gloria te Beachballen (in dit geval... een flinke tampeloeris of wacht,... een hoog in de curve kinderarm) en besloot een smoezelig meisje dat het tijd was om in haar nakie voor mijn neus, met gestrekte benen, haar nieuw geleerde Yogaoefeningen in praktijk te brengen.
het hele strand was onder de indruk... wat was ze lenig.

Beduusd als we waren van dit alles, pasten ook wij ons aan de Ibiza gebruiken aan.
Zo werd bloot het zwembad inspringen al snel als normaal beschouwd (ja, zelfs voor mij), evenals op stap gaan in een harembroek met daarboven niets meer dan een Marlies Dekkers.
Jointjes roken op het strand werd een maaltijdvervanger en we raakten zelfs in de ban van rek- en strekoefeningen in het zand.
Uitgevoerd met gebogen benen, dat dan weer wel.

Aangezien we ons allemaal nog altijd ziek, uitgeput en verrot voelden, verruilden we het Ibiza-gebruik XTC in voor aspirine om zo toch nog enigszins gezond bezig te zijn. *Waren heel trots op elkaar.*

Koorts of geen koorts, het motto 'Je leeft maar één keer' werd gewoon weer toegepast en dus sloegen we ook deze avond niet over.

In discotheek Pacha werden we uitgenodigd voor het VIP-dek.
Wat hier gebeurde was een wel heel aparte ervaring. Even kort samengevat:
Tijdens een gezellig onderonsje haalde een jongen, alsof er niks aan de hand was, zijn piemel uit z'n broek om vervolgens de pillen die hij onder zijn balzak had verstopt met een glas Vodka weg te spoelen (moet er bij zeggen dat zijn praatje over het weer e.d. tijdens dit gebeuren gewoon door ging. Knap).

Van ongeloof besloten wij binnen tien minuten ons alcoholpromillage naar een hoogtepunt te brengen, met als gevolg dat de één haar eerste kus met een vrouw beleefde, de ander in het toilet verdwaalde en vriendin drie en vier dachten dat het misschien leuk was om elkaar eens even te tongen.
*Ja, dit gebeurde allemaal echt. Heb het zelf gezien!*

Na deze verrijkende ervaringen kotste iemand nog even de schoenen van één van ons onder, besloot mijn motorisch gestoorde vriendin op de dansvloer de battle aan te gaan met een professionele danser, had er iemand gelikt aan iets dat géén lolly was en concludeerde de ander met haar hand in een BH dat vrouwen toch echt véél zachter zijn dan mannen.

Na anderhalf uur slaap, hebben we tijdens het ontbijt geen van allen met een woord gerept over deze enerverende en voor sommigen verhelderende nacht.

Na twintig minuten zwijgend tegenover elkaar te hebben gezeten, kwamen de verlossende woorden:
'What happens on Ibiza, stays on Ibiza'

Ibiza: one happy Island!

Fantastisch, buitengewoon, grandioos, wonderlijk... één nadeel... je gaat erheen als losgeslagen dertiger, je komt terug als een versleten veertiger zonder geld!

## Appels met peren...

Dat de meeste mannen, de metro-mannen daargelaten, weinig kaas hebben gegeten van shoppen is inmiddels wetenschappelijk aangetoond.

Mijn vader valt niet in het hokje metro-man.
Nee, mijn vader is meer het type *gentleman in the office,* daarbuiten een beetje shabby-style.
Het type dat het liefst op zijn tien jaar oude Adidasjes loopt en donkerblauwe (altijd donkerblauw) Polo's draagt.

Dat wat wij vrouwen hebben met shoppen, heeft mijn vader en het merendeel van het mannelijk geslacht met voetbal.
Inderdaad, dat is appels met peren vergelijken, maar mag je dan wel verwachten dat men ons begrijpt?

Met vier vrouwen in huis, zou je toch denken dat mijn vader de belangrijke factor, namelijk het ultieme geluksgevoel dat shoppen met zich meebrengt, zou gaan inzien.
Ik ben inmiddels begin dertig, de jongste van drie, en nee... inzien, begrijpen of zelfs bevatten doet hij het nog steeds niet.

Nu is mijn vader uitgenodigd voor een bruiloft en zag ik mijn kans schoon om paps eens even een nieuwe garderobe aan te smeren.

Mijn vaders doel: een wit smokingjasje en daarna een gezellige lunch.
Mijn doel: een nieuwe garderobe, behalve een wit smokingjasje, en mocht er tijd over zijn, een gezellige lunch.

Nog voor we in de auto stapten begon het al: 'Schat, ik zeg het nu vast...ik ga maar naar één winkel en dat is Suitsupply.' Volgens mijn buurman is Suitsupply de Zeeman onder de kostuums?! Hmm, dit gaat een discussie opleveren.

Bij Suitsupply binnen tien minuten twee pakken gekocht. Dit ging

lekker.
Bij het afrekenen legde ik nog snel even 6 paar sokken erbij van €
6,00 per paar.

Op weg naar de volgende winkel – dit was noodzakelijk aangezien de aanwinst niet geschikt was voor de bruiloft – heeft de man wel tien keer gezegd hoe belachelijk het is sokken van € 6,00 te kopen.
En dan bedoelde hij dat het te duur was.

Ook bij de volgende winkel was ik niet ontevreden.
Weliswaar geen wit smokingjasje, maar wel veel ander moois.
Na een korte discussie waarin ik mijn vader moest overhalen een spijkerbroek te passen, kwam hij uiteindelijk uit de paskamer, keek in de spiegel en…
daar was die herkenbare blik. Die blik die ik zelf zo goed ken. De blik van: 'Damnnnnn, I look good!'

Het onmogelijke gebeurde. Mijn vader kreeg de smaak te pakken.

Een uur later liepen we met drie volle tassen de winkel uit om direct aan de overkant een volgende binnen te stappen.
Ook hier slaagde hij uitermate goed.

We hadden inmiddels tassen vol, maar nog steeds niks voor de bruiloft.
Dat mooie zomerpak, of zoals mijn vader het het liefst had gezien, het witte smokingjasje was nog niet gevonden.

En dan komt het moment dat iemand er, zo uit het niets, klaar mee is.

De blik van: 'Damn, I look good' bleek van korte duur, want zoals het bij veel mannen werkt, zodra het uit het zicht en weer in de tas zit, wordt het snel vergeten. Oftewel… uit het oog, uit het hart. En dat kun je bij mannen soms best letterlijk nemen.

Wat nu? Mijn missie was tenslotte nog niet volbracht.
Om tot een compromis te komen stelde ik voor dat hij even een

drankje ging drinken zodat ik in een iets verder gelegen winkel kon kijken of er iets hing wat voor hem nog een 'loopje' waard was.

En dat was het. Daar hing het! Een prachtig linnen zomerpak.
Na een smsje *'saved the best for last'*, kwam paps passen.
Het stond fantastisch!
Ik draafde door en met alles wat ik had probeerde ik nog één voet van hem in een D&G schoen te wringen, maar: 'Ik heb toch al bruine schoenen.'

Bij het afrekenen was daar even de (helaas ook bekende) wegtrekker.
Hij keek me aan met een blik die ik voor het laatst heb gezien toen ik met een slecht rapport thuiskwam, maar gaf gelukkig, al was het met een diepe zucht, zijn kaart af.

Hoewel mijn vader blij is met zijn nieuwe aankopen, heeft hij het nu, een week later, nog steeds over de prijs van dat linnenpak en dan vooral die sokken.
I quote: 'Ik voel me genaaid.'

Wat zeg je er van pap? Binnenkort is er de nieuwe wintercollectie!

Appels met peren? Weet je, tijdens het WK voetbal snapt ineens iedere vrouw wat buitenspel is en voelen we allemaal diezelfde euforie als er een doelpunt wordt gescoord, dus vind ik dat in ieder geval één keer per jaar de man zijn best moet doen ons shopping-gevoel te begrijpen.

## Pink Ribbon

Het is 4 oktober 2008. Buiten regent het. BAH!
Morgen vier ik mijn verjaardag. Nog een keer BAH!
Ik kijk om me heen en weet dat ik moet opruimen. Een driedubbele BAH!

De gedachtes aan opruimen en mijn verjaardag werken deprimerend op mijn gestel.
Ik besluit het even uit te stellen en plof op de bank.

Een paar dagen geleden vond het grote Pink Ribbon Gala plaats. Hoewel ik een uitnodiging had, ben ik niet gegaan. Vanavond werd het uitgezonden op televisie.

Bij het eerste verhaal raakte ik ontroerd, bij het eerste liedje kreeg ik last van volle traanbuisjes, daarna volgde de bekende Máxima-traan en aan het einde van de uitzending heb ik ongegeneerd een potje zitten janken.

Na zo'n confrontatie ben je ineens supertevreden met de vorm van je borsten, is je hoofdpijn zomaar vergeten, wordt het tikken van de regen ineens gezellig, maak je je niet meer druk over die paar extra kilo's, is een bad hairday te overzien, de reden van die ruzie met je vriend niet meer belangrijk, vind je dat al die kleine dingen waar je je zo druk over hebt lopen maken de afgelopen dagen eigenlijk best meevallen en bovendien oplosbaar zijn en besef je bovenal hoe gelukkig en gezond je bent.

Borstkanker! Eén op de acht vrouwen heeft het!

Als je verhalen leest van vrouwen wie dit is overkomen, of, zoals vanavond, de verhalen ziet, hebben zij twee dingen gemeen. Het eerste is dat zij allemaal ziek zijn waardoor het leven voor hen niet langer vanzelfsprekend is en de dood ineens heel dichtbij komt. Het tweede, dat het stuk voor stuk bijzonder, krachtige, mooie, dappere, oersterke personen zijn met een nuchtere, pure en vooral een verbazingwekkende positieve kijk op het leven.

Deze positieve kijk op het leven, het gelukkig zijn met wie je bent is helaas voor veel mensen helemaal niet zo vanzelfsprekend en vaak ook maar van korte duur.
De positieve kijk en het gelukkig zijn, zijn meestal momentopnames die worden opgewekt door iets wat je meemaakt, ziet of hoort.
Helaas valt men na zo'n momentopname vaak snel weer terug in zijn 'normale' gedachtegang.

Klagen is voor velen van ons een geaccepteerd verschijnsel. Het hoort ook wel een beetje bij de Nederlander denk ik.
Er is niets makkelijker dan klagen en dat doen we dan ook massaal maar al te graag.

Het is altijd of te koud of te warm buiten. Van de tien goede dingen die op je werk gebeuren praat men juist over dat ene wat er niet goed ging. Een bloemetje van je man zal wel iets te maken hebben met een onaangename gebeurtenis die nog komen gaat en moesten het nou echt gele rozen zijn?
'Wat zie je er gezond uit', wordt opgevat als 'hij vindt me dik'.
Die prachtige winterjas die je je eindelijk kon veroorloven is te warm en die beeldige muiltjes die je altijd al had willen hebben zijn nu stom omdat ze je blaren geven.

Herkenbaar?

Klagen is nou eenmaal makkelijk.
Alles vanuit een positief kader benaderen is, terwijl we het, als puntje bij paaltje komt, allemaal kunnen, blijkbaar een stuk moeilijker.
Nee, dat is niet een voor de hand liggend gebeuren. Daar moet je je best voor doen en soms is zo'n televisieprogramma, een mooi boek of een imponerende reis juist datgene dat nodig is om dat in te zien.

De verhalen van deze bijzondere mensen zetten ons 'gezonde' personen weer even met beide benen op de grond. Zorgen dat we weer gaan relativeren.

Deze mensen hebben alle reden tot klagen, maar zij weten dat dat totaal geen zin heeft en bovendien zonde is van hun energie.
Juist zij zien in dat niet klagen, maar dragen de juiste instelling is.

Ik stel mezelf de vraag waarom er altijd eerst iets indrukwekkends moet gebeuren dat mij doet ontwaken uit mijn 'BAH fase'...

Denkend aan morgen duw ik mezelf van de bank. Ik sta op, kijk in de spiegel en veeg mijn tranen weg. Ik haal de stofzuiger uit de kast en concludeer dat ik eigenlijk best een leuk leven heb en morgen... morgen sta ik op met een glimlach en ben ik gelukkig... gelukkig omdat ik mijn verjaardag mag vieren.

Draag niet alleen het roze Pink Ribbon lintje, maar kijk ook eens wat vaker door een roze bril en weet dan dat de meeste problemen op te lossen zijn.
Prijs jezelf gelukkig omdat je GEZOND bent!

*17 juli 2007 overleed mijn moeder aan de gevolgen van borstkanker*

## De aantrekkingskracht van de zwarte man

Wat is dat toch, de aantrekkingskracht van de zwarte man?

Als kleuter van vier verkondigde ik al dat ik later mama wilde worden van Diana Ross-kindjes. Ik kom uit een overwegend blank dorp, trouwens.
Op de lagere school kreeg ik verkering met Gillian. Inderdaad, de enige donkere jongen die er rondliep.

De Dolly Dots vond ik enig en sexy, maar Five Star was enig, sexy en... bruin. En dus won Five Star en veroverde daarmee een plekje boven mijn bed.

Op mijn 14e verjaardag wilde ik geen zoutjes of toastjes met kaas... nee, mijn moeder moest een grote pan nasi maken die werd vergezeld met Fernandes.

Een jaar later nam mijn vriendin die een paar jaar ouder is dan ik me mee naar Amsterdam. De Escape. Wauw!
Aangekomen in de entree van de discotheek stonden zo'n dertig donkere mannen cool te zijn... Gefascineerd keek ik om me heen. Ik wist het zeker...ik ben een omgekeerde Bounty.

Vanaf dat moment luisterde ik naar Salsa, Merenque en R&B muziek en werd schuifelen op de Nederlandse smartlap verruild voor schuren op soul.
Ik liet de bruine kroeg voor wat het was (dat was dan wel weer tegenstrijdig...) en bezocht louter discotheken waar de zwarte man prominent aanwezig was.

Niet snel daarna ontmoette ik mijn eerste Surinaamse vriendje, waarna de blanke man nooit meer een eerlijke kans heeft gehad.

Nog steeds ga ik eens in de zoveel tijd naar een 'Old School' party waar overwegend donkere mensen komen.
Op een party waar mijn vriendinnen roepen: 'Dit is zo GHETTO!'

overkomt mij een gevoel van trots en heerlijkheid. Trots omdat we in ons kleine Nederland maar mooi met z'n allen plezier kunnen hebben. Heerlijkheid, omdat de mannen er onweerstaanbaar heerlijk zijn.

Hoewel ik door de jaren heen vaak genoeg op de blaren heb moeten zitten en mijn omgeving me meer dan eens gevraagd, maar vaker ongevraagd de les heeft gelezen over cultuurverschillen, andere waarden en normen e.d. ('Ze eten buiten de deur!') kom ik niet los van die aantrekkingskracht.

Het is niet dat ik per se een donkere man wil, of van die mooie café con leche kindjes... ik word gewoon niet zo snel warm of koud van een blanke vent.
Ik heb serieus meerdere malen geprobeerd opnieuw te beginnen met als nieuw levensmotto 'Linda goes white'.
Waarom? Omdat ik de hoop koesterde dat de projecten dan eindelijk plaats zouden maken voor ingewikkeld, maar gemeend relatie-materiaal...
Toch lukt dit steeds maar niet.

Als ik namelijk een mooie donkere man zie lopen, valt me dat direct op. De beste man wordt gecheckt van top tot teen, terwijl ik aan een mooie blanke man achteloos voorbijloop.

Tja, en dan is er het overweldigende ritmegevoel.
Als een man goed kan dansen hoeft de buitenkant niet eens zo mooi te zijn en laten we eerlijk zijn...er zijn maar weinig blanke mannen die zo kunnen bewegen.

Qua uiterlijk zijn er natuurlijk ook nog een paar, niet onbelangrijke, verschillen:
De donkere man wint het bij mij op alle fysieke fronten van de blanke man.
Ik ben een V-tjes vrouw. Je weet wel, het V-tje dat vanuit de schaamstreek naar de buik loopt. I like, I like, I like!!
Als een zwarte man geen haar op zijn hoofd heeft heet dat sexy,

bij een blanke man wordt dat al snel gezien als, tja... hoe zou ik dit kunnen omschrijven... jammer.
De billen!! Bij de blanke man loopt de rug vaak naadloos over in de billen, terwijl bij de donkere man deze klein, strak, hard, krachtig en vooral rond zijn (Again...I like).

Als je beide mannen dan voor het gemak omdraait en je ogen op dezelfde hoogte zou houden...

Ik zit hier nu met een grote glimlach en weet door het schrijven van dit stukje eindelijk wat die aantrekkingskracht van de chocolate manhood nou precies is... daar kan geen blanke man aan tippen!

Once you go black, you never go back. Dus dames... weet waar je aan begint!

## Nieuwe jongens I

'Ik ben het zat om op een jongen te lijken en met de kipfilets (die ze overigens in het dashboardkastje van haar auto bewaart) ben ik ook meer dan klaar!
Op het strand moet ik verdomme kussens in mijn bikini proppen wil 't nog wat lijken.
Eén keer de zee in en ik heb de rest van de dag gehaktballen als tepels omdat die K.. dingen niet drogen.
Ik sta verdomme iedere dag op de tennisbaan! Wat dat ermee te maken heeft? Maak je nou een grapje? De pijnlijke confrontatie met ballen natuurlijk!
Je kan lachen, maar ik wil gewoon sexy topjes kunnen dragen en dan het allerliefst zonder BH! I WANT BOOBS!'

Dit zijn de woorden van mijn vriendin.
Ze is er zeker van...Mevrouw wil een borstvergroting.

Als goede vriendin moest ik natuurlijk mee op pad.
Op pad om haar 'nieuwe jongens' uit te zoeken.

In België trekken ze de hamsterweken (2 halen 1 betalen) door tot in de beautyklinieken. Om die reden, was het dan ook direct vanzelfsprekend het eerste borstenadvies te gaan halen bij onze zuiderburen.

Na drie uur in de file te hebben gestaan, komen we dan eindelijk aan bij 'THE BIG SALE' waar we na een consult van maar liefst vijf minuten (en € 35,00 armer) weer buiten staan.
Wel een fantastisch advies rijker.
De man moet gedacht hebben dat wij Nederlanders nu eenmaal veel voor weinig willen...
Mijn 'cup A' vriendin werd geadviseerd voor de volle D-cup te gaan want, zo vertelde Dokter Kwakzalver, dit zou haar heel mooi en vooral *natuurlijk* staan.
Geloof je het zelf.

Hartstikke leuk even (wel vijf hele minuten) over de grens te zijn geweest, maar met bovenstaand advies in ons achterhoofd werd het met gierende banden terug naar huis.

Een week later, op naar het tweede borstenadviespunt. Nu gewoon in Nederland.

Hier werden we ontvangen door een man zonder een enkele rimpel of expressie in z'n gezicht en met zwaar gebleekte tanden. Zouden ze aan personeelskorting doen?

*Sorry, er popt even een vraag in m'n hoofd op:*
*Waarom zijn het eigenlijk meestal mannen die dit beroep uitoefenen? Hebben vrouwen hier niet een veel betere kijk op? Het feit dat ze er altijd aan willen zitten maakt ze toch nog niet deskundig?*

Excuus, ik dwaalde even af…

Na uitgebreid de borstjes van mijn vriendin te hebben bekeken en bevoeld (tuurlijk, hij zou zo'n kans aan zich voorbij laten gaan) adviseerde deze jongeman haar de zogeheten 'druppelvorm prothese'.

Het woord zegt het al, de borst bouwt zich dan van hoog naar laag op wat een prachtig natuurlijk effect *zou moeten* geven.
En een gewone C-cup leek hem het mooist.

Deze optie klonk goed. We waren echter nog niet overtuigd en dus besloten we, de stelregel 'drie keer is scheepsrecht' in achtnemend, op zoek te gaan naar nog een kliniek voor een laatste consult.

En dus zaten we vijf dagen later, maar dit keer goed voorbereid, voor ons derde borstenadvies bij wederom een nieuwe, je kunt het al raden, mannelijke arts.
Het eerste wat Dokter drie na uiteraard eerst een grondig 'voel'-onderzoek adviseert: 'Neem nooit een druppelvormige prothese'.
Beargumenteerd door: 'De zwaartekracht gaat uiteindelijk ook bij

jou zijn werk doen en je wil toch niet dat ze over tien jaar op je navel hangen. Nee, ronde protheses. Die moet je hebben.'

Het klonk allemaal erg aannemelijk, maar je begrijpt dat het wel voor enige verwarring zorgde.

Drie keer is scheepsrecht. Hmmm...Nu dus even niet.

Welke moet ze nu nemen: Groot, middelgroot, handje vol, hangend, druppels of rond?

Mijn vriendin wacht nu rustig af tot de plastisch chirurgen wat meer op één lijn gaan zitten, of totdat de vrouwen het over gaan nemen en eindelijk duidelijkheid gaan creëren over de ideale prothese.

Misschien zijn 'ze' tegen die tijd ook hier tegen een 'feestprijs' verkrijgbaar.

Ze is de enige in mijn vriendenkring met kleinere borsten dan ik... toch fijn dat ik daar nog even van mag genieten en daarna... daarna mag ik vast die kipfilets wel hebben. Ik zal ze veilig opbergen in mijn dashboardkastje!

## De zoete smaak van wraak

Zoals bekend maak ik gebruik van mijn beruchte fasenplan. Een kloppend plan. Toch is het één keer misgegaan. Iemand heeft ooit, waarschijnlijk door de sluiproute te nemen, fase vijf gehaald terwijl fase 0, zelfs niet met de hakken over de sloot, mogelijk had moeten zijn.

Het begon allemaal heel gezellig, maar al snel bleek dat ik met een kneus te maken had.
Ik werkte, hij gaf het uit.
Hij sleepte me mee in zijn ellendige leven. Ik vond hem zielig en besloot dat mijn hart groot genoeg was om hem te helpen.

Terwijl mijn hart groot genoeg was kwam langzaam het besef (of eigenlijk het bewijs) dat hij er geen had.

De moeilijke jeugd waar hij vaak over vertelde bleek een fabel evenals de verhalen over zijn baan die niet leek te bestaan. Eigenlijk loog hij over alles. Tot het ziekelijke aan toe.

In mijn goedheid kon ik hem niet de rug toekeren. Hij had hulp nodig en die kon ik (wie ben ik?) hem misschien wel geven.

Maar de bekende druppel kon natuurlijk niet uitblijven...

Ik las een e-mail die niet voor mij was bedoeld (hoe stom kan je zijn?!) Het was een e-mail aan een ander 'schatje' waar hij, zo stond zwart op wit, het al langere tijd gezellig mee had.
Vervolgens bleek hij ook nog te rommelen met zijn ex-vriendin. Had hij geld van me gestolen én lag er bij het bedrijf waar ik werkte een brief van de deurwaarder. Meneer scheen torenhoge schulden te hebben en had mijn baas opgegeven als zijn werkgever!

Ik ben absoluut niet het type van het moddergooien. Met gelijke munt terugbetalen is ook niet aan mij besteed. Gedane zaken nemen immers geen keer.

Ik geloof dat alles wat je een ander aandoet, je driedubbel zo hard terugkrijgt, maar dit was anders.

In dit verhaal had ik te maken met een persoon zonder geweten. Een persoon waar ik nooit echt verliefd op was geweest, maar die ik toch een plekje in mijn hart had gegeven. Een persoon die ik zowel emotioneel als financieel had geholpen. Een persoon die kon liegen alsof het gedrukt stond. Een persoon die het zelfs niet kon laten te zweren op de dood van zijn bloedeigen zoon. Een persoon die niet alleen mij te schande had gemaakt, maar ook mijn familie. Een persoon die me van mijn vertrouwen heeft beroofd.
Een persoon die ondanks alles elke ochtend met open ogen in de spiegel kon kijken.

Verdachte signalen waren compleet aan me voorbij gegaan waardoor vermoedens van overspel niet aan de orde waren.
Hoe kon ik zo stom zijn. Was ik dan zo naïef?

Het gevoel wat dit alles bij me naar boven bracht was allesbehalve luddevuduh.
Ik was boos. Ontzettend boos.
Deze man wist het slechtste in me naar boven te halen.
'Laten gaan' was om die reden dan ook geen optie.

Er ging een knop om.
Furieus, razend, woest was ik!
Ik was vastberaden niet te rusten tot hij de zoete smaak van mijn wraak had geproefd.

Zo gezegd, zo gedaan.
Jij mijn leven zuur maken... ik het jouwe. Maar dan beter.
Ik heb zijn moeder gebeld (die overigens overal allang van op de hoogte was. Ach, zo moeder, zo zoon) met de mededeling dat ze zijn spullen tussen nu en een half uur kon komen halen. Alles wat er dan nog stond zou ik de volgende dag op marktplaats zetten.
Natuurlijk was zijn moeder er niet binnen een half en dus flikkerde ik fijn al zijn dierbare en kostbare spulletjes, zonder er ook maar een

seconde bij na te denken, uit het raam.
Bij het uiteen kletteren van zijn dvd-recorder overviel me een machtig gevoel, waardoor ook snel zijn cd's, I-pod en TV volgde.

De adrenaline gierde door mijn lijf. De lul stond inmiddels met vijf man sterk voor mijn deur, maar dat interesseerde me niks. Ik was nog lang niet klaar. Ik moest namelijk nog de merkjes uit zijn kleding knippen (Niet zelf bedacht. Heb ik ooit gelezen in een blad. Te gek!) en ik had nog een mail te tikken.

Een reactie op de mail die ik had gelezen volgde. Omdat het een replymail was had ik met een druk op de knop haar adres te pakken. Ik mailde haar dat ik samenwoonde met haar lieve vriendje (slechts twee maanden), als attachment deed ik er nog wat leuke vakantiekiekjes bij. Ze reageerde dat ze me niet geloofde, hij loog immers nooit...
Via telefoonboek.nl kwam ik achter het adres en faxnummer van haar ouders (lang leve het internet). Heb er uiteraard even een leuk faxje + feiten tegenaan gegooid. Wat een genoegdoening!
Echt zoete wraak zou het natuurlijk zijn als ik hier zijn naam zou noemen, maar dat zou te veel eer zijn en bovendien niet nodig.
Mijn geloof dat je alles op je bord terugkrijgt klopt.
Op zijn blote knietjes heeft hij me gesmeekt om nog een kans. Ik was het beste wat hem ooit was overkomen. Hoe kon ik hem dit aandoen? Zag ik dan niet hoe slecht het met hem ging? Hij was wel zes kilo afgevallen (geloof me hij kon het missen). Zijn zoon zag hij niet meer en de schuldeisers waren massaal een zoekactie begonnen.

Uiteindelijk draaiden ook zijn familie en vrienden de geldkraan dicht...
Hij heeft zijn boeltje gepakt en het land moeten verlaten.

TOT NOOIT MEER ZIENS!

En ik? Ik blijf sjiek over hem. Ik bedoel, ik heb hier niet eens het pinkformaat van zijn piemeltje genoemd. Zo ben ik niet.

Oh ja, wat die sluiproute betreft... die is inmiddels afgebakend.

20
8
CHAMPAGNE
L

## Vaarwel 2008!

Dit wordt jouw jaar!
Dit wordt het jaar van de liefde!
Ik weet zeker dat dit jaar meer geluk brengt!
Het tij gaat keren in 2009!
Bladiebladieblaaaaaaaaaaaaa!!!!

Al deze goed bedoelde shit hoor ik al jaren, maar... dit jaar gáát het tij ook keren! Ik heb mezelf namelijk voorgenomen dat 2009 nu eens echt MIJN jaar gaat worden.

Om dit kracht bij te zetten besloot ik een ouderwetse 'Girls night out' te plannen.

31 december 2008, 19.00 uur ging deze van start.

Een uur later hadden we drie flessen Champagne, één fles Vodka en een treetje Red Bull (Light, had namelijk 'de periode') meester gemaakt.

Tijdens het 'indrinken' werden alle relaties, scharrels, projecten en potentiële vaders van onze kinderen onder de loep genomen en passeerden uitgebreid alle seksuele details de revue.

Geconcludeerd werd dat vriendin Jessica in 2009 niet langer genoegen mag nemen met minutensex. Om dit te realiseren is volgens vriendin Debbie een goed voorspel met 'dirty-talk' onmisbaar. Volgens vriendin Caro heeft zelfbevrediging hier alles mee te maken en vriendin Pien gaf als advies: een trio.

Goed...

Na dit aperitief moest er natuurlijk nog even een bodempje gelegd worden voor de rest van de avond. Het 'wie kan in één keer een oliebol in z'n mond proppen en dan fluiten'-spel volgde.

Omdat deze wedstrijd niet bij iedereen even lekker viel en er ook nog 's het feit was dat wij ons allemaal voor twaalf uur in beeldige strakke outfits moesten hijsen werd er door twee meiden nog even een vinger in de strot gestopt. *Dit is een grapje... of toch niet.*

Nadat de oliebollen uit de toiletpot stuiterden kon er weer getoast worden.
Dit keer met Tequila.

Om 22.30 uur werd het maquillage-masker opgezet (door het hoge alcoholpercentage was de 'smokey-eye' ineens ontzettend 2009), krullers in het haar gerold en wurmden we ons met veel moeite in de strakke, maar beeldige, outfits.

Deze zelfmarteling was nodig omdat we hadden bedacht weer 's als vanouds los te gaan. Kaarten à € 70,00 voor DE party, met maar liefst vier verschillende zalen, waren reeds van tevoren aangeschaft.

Volgens de flyer was het zeer de moeite waard voor 24.00 uur binnen te zijn. Spectaculair moest het worden!
Helaas... we hadden geen rekening gehouden met een rij (na Barcelona zijn we geen rijen meer gewend) en dus stonden we compleet geplet tussen ongeveer duizend pubers, maar met een gekregen joint en een armetierig vuurwerksterretje in de hand, elkaar om 24.00 uur, buiten in de kou gelukkig nieuwjaar te wensen.

Let the party begin!
Bij het fouilleren door te lekkere portiers werden de twee flessen Champagne die we onder onze jas hadden verstopt ingenomen (verdomme!)
Bij binnenkomst bleek dat we zwaar overdressed waren.
Die fijne spijkerbroek met Uggs was niet misplaatst geweest (weer verdomme!)

Om 00.30 uur hielden we opnieuw het ritueeltje 'I love you', 'Happy new year', 'Jullie zijn topvriendinnen', '2009 wordt ons jaar', 'Forever friends', etc.

Na dit sentimentele onderonsje werd het tijd voor het echte werk.

In zaal één stopte Deb zonder enige reden even lekker haar tong in de mond van een 20-jarige jongen die eigenlijk alleen maar wilde weten hoe laat het was.
In zaal twee stond Jessica te bekken met een dwergje die toch zeker 90 cm korter dan haar was, maar waar ze wel heel ondeugend, met vuurrood hoofd, haar eerste woordjes 'Dirty-talk' mee voerde. 'Ik hou van grote piemels... heb jij die?'
In zaal drie kotste Caro vrolijk nog even de laatste restjes oliebol over de dansvloer en aangekomen in zaal vier herhaalde Deb haar tongavontuur. Dit keer met iemand die vroeg of ze een vuurtje had. Niemand was veilig.

Nadat ik tevergeefs bij de Champagnebar probeerde Vodka Red Bull te bestellen (ik plaatste drie keer een bestelling en begreep maar niet dat deze bar, waar welliswaar met koeienletters 'Champagnebar' boven stond, geen andere drankjes schonk) werden er wederom twee flessen bubbels
(lees = € 240,00) naar binnen gegoten.

Op de dansvloer besloten we even de voetjes te laten ademen. Gevolg... ik moest de rest van de avond met één schoen verder. Weten ze wel wat dat kost!

Om 07.00 uur vonden we het, nadat we Jes bij de toiletten hadden gevonden (dit onderkomen had alles met de eerder gestarte 'dirty-talk' te maken), welletjes. De 'smokey-eyes' bedekten inmiddels ons hele gezicht, de krullen waar we zo ons best op hadden gedaan waren getransformeerd in heuse suikerspinnen, de beeldige outfits zagen er uit als goedkope niemendalletjes en last but not least miste IEMAND van ons nog steeds een schoen.

Let 2009 begin!!
Zal ik dit jaar dan eindelijk volwassen worden?

## Zwart en wit zijn geen kleuren, toch?

Vijf jaar geleden ging een droom in vervulling. Ik ging naar Zuid-Afrika.
Zuid-Afrika, het geboorteland van Nelson Mandela.

In mijn ogen de 'Grootste' persoon op aarde.
Een man die alles verloor behalve zijn ideaal.
Een man die 27 jaar gevangen heeft gezeten, maar bleef vechten voor zijn volk.
Een man die na 27 jaar de gevangenis uitliep en de geschiedenis in.

Nelson Mandela hield ondanks alles altijd hoop en geloof.
Hoe slecht men hem ook behandelde...
*'De goedheid van de mens is een vlam die wel verborgen, maar niet gedoofd kan worden.'*

Hij bereidde de weg van apartheid naar democratie en werd een moreel boegbeeld.

Zelfs na 27 jaar gevangenschap was er geen haat jegens de blanke bevolking.
Hij koesterde geen wrok. Integendeel. Mandela liet het volk inzien dat vergeving de weg naar de toekomst is.

Voor mij een ongelofelijke gewaarwording. Na jarenlange onderdrukking, een onderdrukking die nog zo vers is.

Een gids die nog niet zo lang geleden bestempeld werd als coloured person, heeft ons geleid door, zoals hij het noemde; 'Het oude Zuid Afrika', 'The dark, dark days of Apartheid' en het 'Nieuwe Zuid-Afrika onder leiding van Mandela'.

Ondanks de primitieve omstandigheden werden we waar we ook kwamen met open armen ontvangen.

Kerstmis vierden we in een kerkje in één van de Townships. De

mensen die hier wonen, leven door gebrek aan banen en opleiding in armoede. Ondanks dat het verdriet in hun ogen zichtbaar was, zijn de mensen ook dankbaar.
Dankbaar voor wat ze wel hebben, dankbaar voor de economische vooruitgang, al gaat dit met babystapjes, dankbaar voor Nelson Mandela.

Hoewel de dienst werd gehouden in het 'Zoeloe', had ik toch het idee het te begrijpen.
Er werden verhalen verteld uit eerste hand, recht uit het hart.
Het heeft een onuitwisbare indruk op mij gemaakt.

Je voelde het verdriet en ook de vreugde. Het was puur.
Een bijzondere, prachtige en bovenal warme gebeurtenis.
Een kerst om nooit te vergeten.

De Apartheid.
Jarenlang een officieel onderdeel van het regeringsbeleid van Zuid-Afrika.
De sporen van de Apartheid zijn dan ook nog zichtbaar, maar met eigen ogen heb ik aanschouwd dat deze langzaam uitgewist worden.

Het land, de bevolking, de natuur… de hele reis heeft me diep geraakt.
Mijn bewondering voor deze mensen en in het bijzonder voor Nelson Mandela is niet in woorden uit te drukken.

Nelson Mandela is mijn held. De held van Zuid-Afrika. De held van de wereld.

Zuid-Afrika.
Het land waar je de 'Big Five' kunt ontmoeten.
Zuid-Afrika.
Het land van de, in mijn ogen, enige Big One!
Mister Nelson Mandela… een voorbeeld voor velen. Een inspiratiebron.
Een leider die het verschil heeft gemaakt!

Afgelopen nacht is er een nieuwe leider opgestaan. Aanvankelijk in de schaduw van Mandela, maar een persoon die bijzonder belangrijk zal worden voor de toekomst.

Barack Obama.

Nelson Mandela was, en is nog altijd, de beste hoop van Zuid-Afrika. Is Barack Obama Amerika's beste hoop? En kan ook hij het verschil gaan maken?

Er is opnieuw geschiedenis geschreven en wie weet zien uiteindelijk ook de onwetende mensen in dat zwart en wit toch echt geen kleuren zijn!

Power to the people... ALL PEOPLE!

## Oriëntatiegestoorde zeekoe

Naar al mijn dagelijkse bezigheden (denk: vriendinnen, kapper, nagelstudio, kroeg, massagesalon, pedicure, oh ja en werk) weet ik de weg blind te vinden.
Echter, zodra er een rijbaan is afgesloten slaat de paniek toe en wordt het voor mij onmogelijk op de plaats van bestemming te komen.

Mijn oriëntatiegevoel laat me in dit soort gevallen gewoonweg in de steek.

Zo had ik onlangs afgesproken met een collega op de Albert Cuyp. Deze buurt, waar ik maar liefst drie keer per week te vinden ben, ken ik op mijn duimpje.
Het ritje was nooit een probleem, maar tegenwoordig is, in verband met die fucking Noord-Zuidlijn MIJN route afgesloten. Zonder overleg!

Dus...

Nadat ik voor de derde keer een ererondje op een rotonde maakte, besloot ik ten einde raad een straat in te rijden waar een niet te missen bord met rode rand door mij op de een of andere vreemde wijze over het hoofd werd gezien.
Een passerende fietser (echt, in Amsterdam denken fietsers dat ze God zijn) stak hysterisch haar middelvinger naar me op om vervolgens te roepen: 'Stomme oriëntatiegestoorde zeekoe dat je er bent!'

Zo, dat zijn veel klinkers. Ik weet best dat ik fout zat, maar is het nou echt nodig zo lelijk tegen me te doen? En zeekoe? Noem je me dik?!

Lieve mensen van Nederland, niemand is perfect en denken jullie nou werkelijk dat het voor mij niet moeilijk is?
Het laatste greintje zelfvertrouwen op dit gebied is me afgenomen. In een seconde tijd word je omgedoopt tot Zeekoe... niet blij!
Denk eens na. Door zo'n ondoordachte kreet ben ik vanaf nu, (de

durf om het zelf te proberen bestaat niet meer) afhankelijk van anderen om van A naar B te komen.

Ik ben heus niet achterlijk. Een carrière in de taxibussiness heb ik nooit geambieerd, maar hé, het cliché, dat vrouwen niet achter het stuur, maar achter het aanrecht thuishoren, moet toch iemand waarmaken.

Joh. Laat ik nou niet de beroerdste zijn...ik offer mezelf, ook al is het ongewild, maar dat hoeft mannelijk Nederland dan weer niet te weten, wel op.

Ach, 'Nobody is perfect'. Ik heb weer andere kwaliteiten en om die reden zal ik enkele van mijn dramatische 'Huh?... waar ben ik nou' gebeurtenissen opsommen.

Komt ie...

Tijdens mijn sabbatical in Barcelona heeft het serieus drie en een halve week geduurd voordat ik vanaf het strand mijn casa kon vinden (ik vermeld er maar niet bij dat we uitzicht op zee hadden).
Ook de fietsroute naar Spaanse les heb ik zelfs in de laatste week niet zonder fouten weten te bereiken. Gelukkig hoefde ik nooit peuken te prikken op het schoolplein. Waarschijnlijk het enige voordeel van ouder worden.

Of:

Bij het uitlopen van een winkel loop ik steevast terug in de richting waar ik zojuist vandaan kwam. Dit is knap te noemen, gezien ik ongeveer alle winkels van Nederland reeds tig keer heb bezocht.
En als ik echt met de billen bloot ga, moet ik toegeven dat het ook nog 's dertig meter duurt voordat ik dat in de gáten heb. Voordeel is wel dat de winkelstraten daardoor een stuk langer zijn. Nadeel is dat dat leuke truitje wat je in winkel één (vrouwen kijken altijd eerst even verder) had gezien niet meer terug te vinden is (of is dit juist een voordeel?).

Of:

Soms is het zelfs zo erg dat ik in een discotheek na het derde bezoek nog steeds de weg naar het toilet niet kan vinden...of heeft dit met andere zaken te maken?

Of:

Op het strand moet ik vooral niet verder dan 10 cm wijken van mijn strandbedje. Het halen van een ijsje of een onderdompeling in de zee zorgt voor grote paniek. Op zo'n moment is mijn mobiel niet voorhanden, wat betekent dat ik er echt alleen voor sta.
Ik heb er ooit, en dan lieg ik niet eens, bijna een uur over gedaan om vanuit de zee mijn knalroze handdoek (Deze kleur was uiteraard niet zomaar gekozen) terug te vinden.

Of:

Eén van mijn dieptepunten was misschien wel dat ik in een parkeergarage met maar twee verdiepingen mijn eigen auto niet kon vinden. Uiteindelijk heb ik me door een behulpzame vreemdeling rond laten rijden op zoek naar mijn bolide, die uiteindelijk niet ik, maar nota bene hij als eerste zag.
Heb me nog nooit zo blond gevoeld.

Maar:

Inmiddels ben ik de trotse bezitter van een TomTom. Naar mijn mening de beste uitvinding ooit bedacht. Tom is mijn beste vriend en we zijn dan ook onafscheidelijk.
Maar het gaat verder... ook heb ik een nieuwe telefoon met... tadaaaaaaaaaa... GPS aangeschaft waardoor ik vandaag de dag ongestoord en zonder stress de winkelstraten afstruin.

Een oriëntatiegestoorde zeekoe? Het zal allemaal wel, maar vandaag de dag mooi wel één met een TomTom!

## Helderziend of snel verdiend?

Van mijn dierbaarste vriendin kreeg ik een wel heel speciaal verjaardagscadeau.
Een bezoek aan een medium!

Nou is zweverig gedoe niet echt aan mij besteed, maar voor nieuwe ervaringen sta ik altijd open.

Onze beide moeders zijn overleden en omdat zij hartsvriendinnen waren, was er stiekem toch enige nieuwsgierigheid of iemand ons kon vertellen of de dames daar boven elkaar gevonden hadden.

Aangezien ik ervan overtuigd ben dat het stikt van de charlatans en prutsers, was grondig voorwerk een vereiste.
Hup, het internet op en 'paragnostje shoppen'.

Na lang zoeken hadden we een site gevonden die ons wel aansprak. Het was duidelijk en, voor ons zeer belangrijk in de keuzebepaling, stond de site niet bol van aurakleurtjes, sterretjes met gloeilichtjes, engeltjes en glazen bollen.
Bovendien vertelde de site dat deze mevrouw contact kon leggen met diegenen die zijn overgegaan naar een andere dimensie, vragen kon beantwoorden en kon dienen als doorgeefluik.

Na wat e-mailverkeer tussen mijn vriendin en het medium werd al snel duidelijk dat deze dame haar vak wel erg goed verstond. Zonder mij namelijk ooit gezien of gesproken te hebben 'voelde' zij dat ik een langere sessie dan mijn vriendin nodig had. Heel knap...
Ook drong ze erop aan een verslag, dat voorafgaand aan onze sessie geschreven zou worden, voor ons een must zou zijn.
Voor ons of voor haar?
Hier was uiteraard een kleine meerprijs aan verbonden.

Helemaal gekke Henkies zijn we ook weer niet, vandaar ook dat we deze fantastische aanbieding beleefd afsloegen.

Op D-day probeerden we ons tijdens de autorit die anderhalf uur duurde serieus voor te bereiden.
Wat waren onze verwachtingen, specifieke vragen etc. Al snel hadden we de smaak te pakken. Wanneer win ik de loterij? Gaat m'n vriend vreemd? Wanneer krijg ik opslag?  Hoe oud word ik?
Je snapt na anderhalf uur fantaseren waren de verwachtingen hooggespannen.

Na tien minuten door de ijskou te hebben gelopen kwamen we binnen in een door wierook blauwstaande ruimte. Deze voorspelling onzer zijde klopte. Echter het beeld dat we in ons hoofd hadden van het medium bleek verrassend anders te zijn.
Niks geen zigeuner-look, bedelarmbandjes of gekleurde glittersjaaltjes, maar wel een Gucci-bloesje, dito hakken en keurig verzorgde nagels.

Na een kort koetjes–en-kalfjes-gesprek werd mijn vriendin (in verband met het scheiden van energievelden...) verzocht ons alleen te laten.
Daar het Spookhuis niet bepaald in een bruisende omgeving was gelegen, bleef er voor haar niets anders over dan wachten in de auto. Wederom anderhalf uur lang.

Na een uur lang te hebben geluisterd naar iets dat meer weg had van psychologisch gedreutel, begon het echte werk...
Ik moest mijn ogen sluiten en al mediterend zou zij er dan voor zorgen dat mijn hart weer open zou gaan. Uiteraard is dit geen kattenpis en zeker niet iets dat even 'appeltje-eitje' gebeurt. Nee, mevrouw Zweef-Spreekbuis had de hele week al voorbereidingen getroffen voor deze zware wedstrijd. Er zijn mannen die er jaren over doen, kan ik je vertellen.

Een half uur later en met 'open hart' begon de sessie waarbij ook mijn, inmiddels bevroren en met beginnende doorzitplekken, vriendinnetje aanwezig mocht zijn.

* 'Dames, met wie willen jullie contact uit de andere dimensie?'

- 'Uhhhh… moet u dat niet zien, voelen, doorkrijgen of…?'

Goed, om een lang verhaal kort te maken. Dit ging anderhalf uur zo verder.
De vrouw beweerde zwaar in contact te zijn met onze moeders en toch raakte wat uit haar mond kwam kant noch wal.
Ik probeerde nog even van het bekende doorgeefluik gebruik te maken, maar of onze moeders hadden niets te vertellen of het luik zat gewoon dicht, want veel zinnigs gebeurde er niet. Mislukte Char!

Meer dan het spelletje 'Ik zie, ik zie wat jij niet ziet' was het niet.

Wel moet ik eerlijk bekennen, dat haar acteertalent niet zal misstaan in een nieuwe musical of slapstick.
Zo sloot zij meerdere malen haar ogen, mompelde iets wat werd afgesloten door gegrinnik, of was het gehinnik?
Nee, dit had niks te maken met een vorm van schizofrenie…
Ze was aan 't beppen met de mama's.

RIGHT!
Beppen!? Hou nou toch op, niks geen grappen en grollen, een goede rechtse hadden ze je gegeven!

€ 250,00 armer en een illusie minder stonden we buiten.

Ik heb het licht gezien!

## Wat een hamburger al niet teweeg kan brengen

Tijdens één van onze sporadische stapavonden in Barcelona (want je snapt dat wanneer je een serieuze studie Spaans volgt je 's avonds met je neus in de boeken zit, vroeg onder de wol gaat om vervolgens de volgende ochtend weer fris en fruitig in het klaslokaal te verschijnen), werden we aangesproken door een hip uitziende hombre. *Dit is op zich al vrij uniek aangezien je als twee blonde meiden van 1.75 m in Barcelona bijna geen aanspraak hebt...*

Deze, op het eerste gezicht, zeer galante ridder, nodigde ons uit om een paar dagen later te gaan eten in een oud theater. Het moest the place to be voor jetsettend Barcelona zijn.

Om niet onbeleefd over te komen namen we de invite aan. *Twist my arm.*

Na een voorbereiding van een halve dag, wat inhield dat we een nieuwe outfit hadden gekocht, bezoekje aan de kapper en manicure gebracht en ons gratis in de Spaanse versie van de Bijenkorf hebben laten opmaken, waren we klaar om naar onze gezamenlijke date te gaan.

Eenmaal aangekomen werden we ontvangen door de PA van...uuuh, laten we hem 'Bert' noemen.

Het kon niet op. Een tafel vol culinaire hoogstandjes, de duurste wijnen en uiteraard ontbrak de Champagne niet. Niks geen goedkope rommel, maar serieuze Moët.
*Ook nog eens uit een heel goed jaar wat wij echte wijnkenners zeker konden waarderen. Smaakt een Lambrusco echt niet hetzelfde?*

Bij gebrek aan intelligentie vonden er geen diepgaande gesprekken plaats. Nee, het was al snel duidelijk dat Bert van ons verwachtte dat we onze bordjes netjes leegaten en verder vooral mooi moesten zijn.

Na het diner kwamen de 'shotjes' op tafel en schoven er wat vrienden van onze gastheer aan.

Het zoveelste glaasje later werden we geëscorteerd naar beneden waar we in een prachtige discotheek terechtkwamen. Hier namen we, als vanzelfsprekend, plaats op het VIP-terras.

Flessen Vodka, Champagne en Tequila werden aangesleept.
Noem maar op. Niets was te gek. Eén groot feest!

Vriendin Bennie riep alleen maar: 'Sooo Paris Hilton' en nam het er flink van.
Tja, als het dan toch voor je neus staat... is toch zonde als dat straks door de gootsteen zou verdwijnen. Zo zijn we niet opgevoed.

Natuurlijk hadden we allemaal ons fototoestel meegenomen.
Unaniem kwamen we overeen dat het VIP-terras de perfecte place to be was voor een fotosessie.
Na een kleine meubelreorganisatie begonnen we enthousiast te flitsen.
Helaas. Na foto tien werden we, door een Schwarzenegger look-a-like, beleefd op onze vingers getikt.
Oeps...Foto's maken op het VIP-dek, Soooo NOT DONE!!

Tegen 03.00 uur vertrokken we met z'n allen richting een andere Hot Spot.

De taxi passeerde de 200 meter lange rij en stopte precies voor de ingang *(is mij nog nooit gelukt dat er mensen paaltjes uit de grond halen als ik kom aanrijden)* zodat we direct naar binnen konden.

Om me heen kijkend concludeerde ik dat de slogan 'zien en gezien worden' hier van kracht was.
De mensenmassa die voor de ingang stond zag er spectaculair en oogverblindend mooi uit. Maar ik liep er mooi langs!

De portiers gaven ons ongevraagd twee beso's (echt, alsof we samen in de zandbak hadden gezeten), waarna de afdaling naar de

dansvloer kon beginnen.
Het leuke van zo'n VIP-ingang is dat als je de trap afkomt je midden in de club staat, zodat iedereen ziet dat je binnen bent. Een 'Grande entree' noemen ze dat.

Bennie, die de hele avond, vanwege het etiket 'gratis' (we blijven dan toch trouw aan onze roots) geen druppel had laten staan, nam deze term iets te letterlijk.

Haar nieuwe hakken die zij aan het begin van de avond nog onder controle had, begonnen een eigen leven te leiden.
Na een kleine misstap op trede twee gingen zij er dan ook vandoor, pump één lag tussen de dansende menigte en pump twee belandde met gebroken hak voor mijn voeten.
*Hoe krijgt ze het toch altijd weer voor elkaar. Gewoon knap!*

Ik moet wel eerlijk toegeven dat ik nog nooit iemand zo elegant in een kanten jurkje van de trap heb zien lazeren.
Een pijnlijke landing onderaan de trap later zegt ze droog en verdoofd door de alcohol: 'Zo we zijn binnen.'
Nadat we Bennie hadden opgelapt, even uitrusten tussen de trendy bezoekers.
Gelukkig was ook hier weer Champagne aanwezig. De koeler kreeg er deze avond een tweede functie bij. Een medische wel te verstaan.
Terwijl Bennie met de ene hand de fles bubbels aan haar mond zette, bedekte haar andere hand, gedwongen door de pijn, de bodem van de koeler.

Na een fantastische, maar bizarre avond tussen the rich and the famous vonden we het om 06.00 uur tijd om te gaan.

Totdat...

'I know a place where they serve the best burgers in town.'
Voor mijn vriendin Bennie zijn dit de meest magische woorden die de beste man ooit had kunnen uitspreken.
Met haar hand nog altijd in de Champagnekoeler sprong ze op: 'I

looooove hamburgers!'
*Ik had hier toch zo geen kracht meer voor! Ik vind Hamburgers niet eens lekker!*

'Linnie, Linnie, PLEASE?'

En zo was Linnie weer de lul!

In de taxi werd duidelijk dat we voor die fantastisch burgers naar het duurste hotel van Barcelona moesten rijden. Uhhh...

Daar aangekomen voelden we ons beiden toch ietwat ongemakkelijk. Het was midden in de nacht, twee meiden totally dressed, lichtbeschonken en één man...
Terwijl ik me hardop afvroeg wat de bedoeling was, werd ik met een blik die ernstig op een berisping leek, gesommeerd te wachten.

Bertje moet hebben gedacht 'voor wat hoort wat' want tot mijn verbazing was hij een kamer aan het regelen! Hoe naïef kan een mens zijn? We weten toch inmiddels wel dat voor niks de zon op gaat bij mannen?!

Hola?! Que pasa?! Is de man helemaal LOCO of wat??!!

Ben en ik keken elkaar stilzwijgend aan en besloten deze 'wanna be' een lesje te leren.
Hij nam onze blonde lokken wel heel serieus. Zwaar onderschat, meneer Bertus!

Eenmaal aangekomen in de kamer werd, zoals afgesproken, roomservice gebeld voor de hamburger.
Tijdens het wachten probeerde hij quasi nonchalant te informeren of we wel eens met een vrouw hadden gezoend of aan elkaar hadden gefriemeld.
Natuurlijk gaven we alle antwoorden die de fake playboy wilde horen, en meer. We vertelden de man dat we met ons handbalelftal leuke uitjes hebben beleefd. Dat porno in Holland net zo normaal is als

soap televisie en dat eigenlijk iedereen in Amsterdam Bi-seksueel is.
Met rode oortjes en open mond geloofde hij ieder woord.
*Had hij nou een rol pepermunt in zijn broekzak zitten?*

Na een kwartiertje werd de bestelling binnen gebracht. De sukkel vertrok naar de badkamer. Bennie propte een deel van de hamburger in haar mond (echt, ze kreeg met de minuut meer klasse) en weg waren we. Op onze blote voeten trokken we een ouderwets sprintje richting uitgang.

De verzuring trad helaas op in de lobby van het hotel.
Hier stonden zo'n vijftig, strak in het pak gestoken Japanners nieuwsgierig naar ons te kijken.

Dit noemen ze nou een typisch geval van jammer.

Adios!

## Jan Lul

Als ik het derde blokje kaas in mijn mond prop, concludeer ik dat verjaardagen slaapverwekkend zijn.
Het enige wat zo'n avond enigszins draagbaar maakt is dat ik tijdens zo'n verplicht 'moetje' altijd weer inzie dat ik de liefste, lekkerste en leukste vent van de wereld heb.
Nou ja... niet overdrijven... in ieder geval van de aanwezigen.

Twintig minuten later sms ik uit pure verveling mijn schatje die drie meter verderop zit:
*'Kusje.'*

Ik krijg een berichtje terug:
*'Je ziet er lekker uit vandaag!'* met eronder een smiley. Mét tong.

De smsjes gaan over en weer.
Ik raak opgewonden.

Bij ieder berichtje kijken we elkaar van een afstand verleidelijk aan.

Een uur later fluister ik in zijn oor dat we gaan.

Vriend moet eerst een kennis afzetten, maar belooft daarna direct naar huis te komen.

Vol fantasieën race ik richting huis. Vuurwerk wordt het deze avond!

Eenmaal aangekomen plak ik op de voordeur een briefje waar ik met Edding op schrijf:
'Hey sexy! Aanbellen verplicht!' Als grapje druk ik met mijn lippen een kus op het papier.

Ik steek mijn sleutel aan de binnenzijde in het slot, zodat ik zeker weet dat hij de bel gebruikt.

Ik ren naar boven.

De adrenaline giert door m'n lijf.

Sex! Sex! Sex!

In gedachten zie ik me, bij wijze van, heb er namelijk geen, al uitdagend hangen aan de kroonluchter.

Binnen vijf minuten wurm ik me in mijn meest sexy lingerie setje.
Ik voel me nerveus en een beetje stout.
Van de zenuwen probeer ik tevergeefs de jarretels vast te maken aan mijn kousen.

Fuck, fuck, fuck... geen tijd meer.
Dan maar los laten hangen.

Snel nog even mijn porno-pumps opgraven uit de schoenenbelt.
Gelukkig, gevonden.
Oké!
Daar sta ik dan.

Jezus wat sta ik voor lul!

Ik gooi een Tequila achterover... en nog één want op één been kun je niet staan. Op twee ook niet altijd dus vooruit... nog maar eentje.

Ga weer terug in de 'wat ben ik sexy- positie'.
Nee, ik voel het nog steeds niet.

Verdomme!
Nog maar wat lipgloss dan.

Waar blijft hij nou?!

Shit! Ben een muziekje vergeten.
Zet zwoele muziek op pauze.
Niet vergeten wanneer de bel gaat op play te drukken.

Voor de 100ste keer haal ik een borstel door mijn haar.

Snel nog een parfummetje.
Stiekem ook een beetje... daar. Niet teveel.

Shit! Ik moet plassen.
Zo elegant mogelijk probeer ik, mijn kanten bijpassende niet lekker zittende string opzij houdend, dit te doen.
Ik trek door, zet een stap...

Nee, nee, neeeeeeeeeeeeeee!! Ladder!!

Gegraai in de onderbroekenmand levert me een kous op.
Diepe opluchting.
Kutterdekutkut! Ze zijn verschillend.
Moet het licht meer dimmen, dan ziet hij het niet.
Misschien alleen kaarsjes?

Ja kaarsjes. Goed idee.

Waar blijft die lul nou!

Ik steek een wierookstokje aan.

Voor de zoveelste keer werk ik mijn lippen bij.

Tijdens het kijken in de spiegel oefen ik mijn 'ik heb zin in je- look'.
Hmmm.... Mijn spiegelbeeld baart me zorgen. Ben er niet jubelend over.
Morgen op mijn 'to do' lijstje zetten.
Niet vergeten.

Waarom is die hufter er nog niet!

Ik check mijn telefoon.
Geen gemiste oproep.
Ook geen sms.

Ik bel mezelf.
Ja, hij doet het. Of nee, KUT hij doet het.
Ik loop in mijn moeilijke pakje naar beneden en check of de deurbel het wel doet.
Ook die werkt.

Ik loop naar boven.
Ga zitten op de bank en bedenk dan...

Er zal toch niet iets gebeurd zijn?

Oh God, oh god... Als hij maar niet...

Ik bel, maar vriend neemt niet op.

Ik begin me nu zorgen te maken.

De zorgen maken plaats voor teleurstelling en dan word ik boos.

HEEL BOOS!

Ik trek een joggingbroek aan.
Doe mijn haar in een staart.
Veeg de lipgloss af.
Loop weer naar beneden.
Haal de sleutel uit het slot en scheur het briefje van de deur.

Boven pak ik de fles Tequila en neem me voor er niet in te spugen.

Vriend Dildo spookt nog even door mijn gedachten, maar geen kracht meer voor.

Ik word wakker van een enorme bierwalm die boven me hangt.
Slaperig probeer ik mijn ogen open te doen.

Daar staat Jan Lul! Zo dronken als een tor!
'He mop! Was nog even een biertje gaan drinken met Dennis.'

Ik zal ze nooit begrijpen.

Wel weet ik door deze avond dat vriend nooit meer dan een kansloos project zal zijn! Ajuus!

## Je bent pas groot als je klein durft te zijn

Zolang ik me kan herinneren vervul ik voor vriend en vijand de rol van moeder Teresa.
Voor menigeen fungeer ik al jaren als raadpleger in nood.
Tranen worden opgevangen en adviezen schud ik uit mijn mouw alsof het mijn tweede natuur is.

Behalve wanneer het om mezelf gaat...

Persoonlijke emoties blijven persoonlijk en worden niet of nauwelijks gedeeld.

Als ik mijn eigen problemen niet kan oplossen, kan een ander het tenslotte ook niet.
Huilen in het bijzijn van anderen... nee.
Zie ik dat als zwakte? Een eerlijk antwoord daarop kan ik niet geven.
Ik vind niemand die in mijn bijzijn zijn tranen de vrije loop laat zwak, maar waarom doe ik het zelf dan niet?

Kwetsbaarheid is het woord.

Een woord met een, voor mij, beladen betekenis.

Wat als ik hierdoor mijn kracht verlies? Je weet nooit... misschien wordt het ooit tegen me gebruikt? Kan iemand anders mijn gevoelens begrijpen?
Mezelf blootgeven... eng!

Eindeloos praten over mijn emoties is een grote 'no go' in mijn leven.
Nee, geef mij maar de bekende feestneus.
Hoewel menigeen mij diverse malen, goedbedoeld, heeft geadviseerd hier anders mee om te gaan, kan ik niet anders zeggen dan dat dit voor mij werkt.
Voor mij is dit de manier mijn hoofd koel te houden.
Wat schiet ik ermee op om zelfmedelijdend onder de dekens te kruipen of 's avonds met een kop thee uit te huilen bij een vriendin?

Van verschillende emoties raak ik in de war. Krijg dan het gevoel mezelf te verliezen. Gevoelens en situaties niet meer in de hand te hebben.

Ondanks dat ik er zelf niet veel moeite mee heb, merk ik dat mijn omgeving dat wel heeft.
Een vriendin is van mening dat je in echte vriendschappen lief en leed moet delen. Ze vindt het jammer dat ik niet voldoende vertrouwen in haar heb dat te doen.
'Ik vertel jou alles, maar heb het idee dat ik met een gesloten boek te maken heb. Jij hebt een automatische emotieblokkeerder in je systeem die standaard op uit staat. Zet dat ding in godsnaam eens op AAN!'

Terwijl ik het weglach zet het me ook aan het denken.

Ik concludeer dat ik met de jaren steeds inventiever ben geworden in het verdoezelen van mijn rechterhersenhelft.

Voor mij geldt; droog je tranen en gewoon verdergaan.

Maar zo gewoon is dat natuurlijk niet.

Na een heftige gebeurtenis volgt een verwerkingsproces en in dat proces is het belangrijk emoties te delen. Als je onverwerkte gevoelens laat opstapelen komt het vroeg of laat waarschijnlijk tot een uitbarsting.

En hoewel ik vind dat kwetsbaarheid mensen mooi maakt en weet dat ieder mens een zwakke plek heeft, stuit ik toch op een muur.

Dubbel? Ja.

Mijn vriendinnen zouden mijn vriendinnen niet zijn als ik hun ware aard niet zou kennen. Een ware aard die je alleen kan zien en begrijpen door... precies, je gevoel te uiten.

Tenslotte wordt door het tonen van emoties, zwakte en kwetsbaarheid de persoon achter de naam pas echt zichtbaar.

Maar voor wie mag dit dan zichtbaar zijn?

Ondanks dat er nog nooit iemand is geweest die misbruik heeft gemaakt van iets dat ik in vertrouwen met hem of haar heb gedeeld, blijf ik het een moeilijk ding vinden.

Waarom?

Geen idee.

Het gekke is dat ik een hekel heb aan oppervlakkigheid. Weer een woord dat zijn lading dekt en juist door dit woord weet ik, als ik echt eerlijk ben tegen mezelf, dat al het bovenstaande me uiteindelijk gaat tegenwerken.

Hoe kan je een diepgaande relatie aangaan wanneer je een emotieblokkeerder met je meedraagt?

Zal ik de knop dan toch op 'aan' moeten zetten?

Laatst zei een goede vriend; Je bent pas groot als je klein durft te zijn.

Mooie woorden.
Ik heb ze opgeslagen en probeer er beetje bij beetje naar te gaan leven.

## Nieuwe jongens II

Na de uitgebreide zoektocht naar de juiste borsten, kwam er een wel heel onverwachte meevaller om de hoek kijken.

Via-via werd mijn vriendin op de hoogte gebracht van een televisieprogramma dat mensen zocht om hun cosmetische ingreep te laten filmen.

Nu ging zij in eerste instantie van het meest gunstige uit, demofilmpje voor in de kliniek, maar nee... de opnames zouden gebruikt worden voor prime time zaterdagavond televisie!

Dit bracht nog wel even enige twijfel met zich mee, maar een dag later volgde er een: 'Wat kan mij het ook schelen, op het strand zien ze het ook.'
Afgezien van het feit dat mijn vriendin in haar hele leven nog nooit topless op het strand heeft gelegen, vond ik het een goede reden.

We hoefden dan niet langer stad en land af te reizen of de twee-halen–één-betalen-acties in de gaten te houden. Nee, één uur op zaterdag bij RTL aan heel Nederland je hele hebben en houwen laten zien zou voldoende zijn.

Na een uitgebreide selectieprocedure won mijn vriendinnetje the 'Boob-battle' en kwam haar droom ineens heel dichtbij.

Twee weken voor de operatie werden er voor het programma opnames gemaakt op de tennisbaan waar mijn vriendin lesgeeft.
Vol in de make-up en in haar meest charmante joggingpak werd van 'Cupje-A' verwacht al tennissend te vertellen waarom zij graag een borstvergroting wilde.

Onder druk presteren is niet eenvoudig en als je dan ook nog eens rekening moet houden met het feit dat je je gezicht in de plooi moet houden en tijdens het balletje slaan vragen moet beantwoorden...

moeilijke opgave.

Je voelt het misschien al aankomen,... met haar strakke forehand ramde ze de bal recht tegen het hoofd van de cameraman. Knap staaltje tennis.
One down.

Na een interview van zestig minuten stond het er dan eindelijk op. Je vraagt je af, hoe kun je in godsnaam zestig minuten over je borsten praten? Geloof me: zij kan dat.

De avond voor Boob-day moest er natuurlijk in stijl afscheid worden genomen.
De borstjes werden nog even goed bekeken, vertroeteld, toegesproken en vastgelegd voor het nageslacht.
Daarna volgde het ritueel verbranden van de oude BH'tjes, push-ups, kipfilets en tig ander vulmateriaal.
Tenslotte keek ze nog één keer in de spiegel waarna ze een klein traantje niet kon bedwingen.

De volgende ochtend meldden wij ons, vol goede moed, bij de kliniek.

Haar borstjes werden afgetekend en terwijl ze daar op haar meest kwetsbaarst stond werd de filmploeg geïntroduceerd.

Mijn altijd stoere vriendin voelde zich steeds kleiner worden.
Toen de geluidsman te laat binnenkwam en ook nog eens een oude bekende bleek te zijn, wilde ze het liefst met stille trom verdwijnen.

Eindelijk was het moment daar. Nadat we voor het oog van de camera elkaar het beste wensten, heel spontaan dit alles... moest drie keer over, werd ze meegenomen naar de operatiekamer.

Daar ging ze dan. Mijn vriendin die als enige kleinere borsten had dan ik... werd er gewoon een beetje emotioneel onder.

In twee uur tijd was mijn vriendin omgetoverd van een A-cup naar een volle C.

Voorzichtig deed ik de deur van de uitslaapkamer open.
Gelukkig! Mijn meisje was niks veranderd. Nog geen tien minuten na haar ontwaking zat mevrouw al weer een doos Leonidas-bonbons naar binnen te werken. She's back!

Praatjes voor tien. Het leek wel of ze een kind gebaard had: 'Wat zijn ze mooi, hè? Niet te groot, precies goed. Mag ik even kijken, mag ik even voelen...?'

Nu, inmiddels drie weken later, rent ze weer vrolijk rond op de tennisbaan. Nee, het zijn geen Pamela-ballonnen geworden, maar mooie weelderig gevormde borsten, die als ze in de spiegel kijkt fier en rechtop naar haar glimlachen.

Inmiddels is ook haar lingerievoorraad weer op peil, draagt ze nu, hartje winter, enkel laag uitgesneden truitjes en is haar woordenschat geminimaliseerd tot: 'Boobies!! If-you-have-it-flaunt-it!'

Ogen uitsteken heet dat, verdomme.
Ach, over een maand wordt het hele gebeuren uitgezonden... en zoals het een echte vriendin betaamt, organiseer je dan natuurlijk een 'kijk-avond' met popcorn, een megascreen, heel veel mensen en natuurlijk... plastic voorbindtieten!
Heb er nu al zin in.

Even zonder dollen... mijn vriendin is superblij met haar nieuwe jongens. Ze zijn dan ook goed gelukt.

Zal ik dan ook...ja...of...misschien...als...nee!

TIGER
FLIRTATION
BODY GLIDE
ORAL JOY

## Tupperware-party anno 2009

Vriendin Joyce had bedacht een ouderwetse Tupperware-party, maar dan gestoken in een nieuw jasje, onder het mom 'een gezellig samenzijn', te organiseren.
Zonder enig idee te hebben van wat ons te wachten stond, werden we om 20.00 uur bij haar thuis verwacht.

Joyce, zittend pontificaal in het midden van haar woonkamer, vertelt ons zonder enige gêne het volgende:

'Meiden, ik hou van jullie allemaal, maar ben helemaal klaar met het gezeik over het feit dat ik nog nooit van mijn leven met een dildo of ander plastic plezier heb gespeeld. Vanavond, om precies te zijn over twintig minuten, hoop ik met deskundige hulp en advies voor 24.00 uur mijn 'ontmaagding' te hebben meegemaakt.
Over een paar minuten zullen er hier twee dames komen met een assortiment aan erotische speeltjes. Volgens hen kunnen we deze avond alle producten zien, ruiken, proeven en voelen.
Aangezien duidelijk is dat ik geen sexleven heb en mijn toekomstig genot hier dus van afhangt ben ik van plan mijn schaamte en scepsis overboord te gooien en verwacht ik dat jullie als echte vriendinnen dit zeer serieus nemen.'

Als reactie op bovenstaande volgt natuurlijk een luid gejuich. Onze Joyce. die er eerder dit jaar al een botoxnaald tegen aan had gegooid, ging nu echt los.

Hieperdepiep hoeraaaaaaaaaaaaaaa!

*Wij als goede 'burgerlijke' vriendinnen kijken haar uiterst begripvol aan en gunnen haar natuurlijk alle goeds. Echt, we gunnen haar wel vierduizend orgasmen.*

Tien minuten later komen er twee 'Melkert-baners' binnen waarvan wij ons onmiddellijk afvragen of ze de door ons zonet besproken vaginale balletjes misschien ergens 'verstopt' hebben.

De meegebrachte koffertjes met de laatste trends en gadgets op seksgebied worden zorgvuldig naar binnen gedragen.
Gefascineerd, maar met zweterige handjes en open mond, kijken we hoe het assortiment wordt uitgestald.

Vibrerende badeendjes, bunnypakjes, lustopwekkers in pilvorm, eetbaar ondergoed, vaginale eitjes met afstandsbediening, glijmiddel met chocoladesmaak, zweepjes, jarretels, handboeien, G-spot tools, hightech- en bling bling vibrators, je kan het zo gek niet bedenken.

Het burgerlijke maakt al snel plaats voor feminisme waardoor we als hongerige wolven en vol enthousiasme graaien naar al het lekkers dat op tafel ligt.

Joyce, die nog steeds zwaar geconcentreerd pontificaal in het midden van de woonkamer zit maar nu met een goudkleurige glimmende dildo in haar hand, fluistert in mijn oor: ‘Wat denk jij? Zouden deze meiden een verplichte doorstart hebben moeten maken door het opschonen van de wallen? En denk je dat als het politieke front uiteen valt ze dan liever sextoys verkopen of toch zichzelf?’

Typisch hoe bij sommige mensen de bovenkamer werkt. Wat is er mis met
*Go with the flow?*

Nog voor ik antwoord kan geven wordt er gevraagd of er misschien iemand de lustopwekkende crème wil proberen.
Twee meiden bieden zich spontaan aan en vertrekken naar de badkamer om vervolgens, niet veel later, met rood hoofd hun bevindingen te delen.

Vriendin 1 had het gevoel tijgerbalsem op haar, zoals zij het noemt, framboosje te hebben gesmeerd en was er van overtuigd dat ze morgen met twee ontstoken schaamlippen zou wakker worden.
Vriendin 2 voelde niks tot er een kwartier later klonk: ’Oh my goddddddddd’ waardoor ze de rest van de avond tegen een orgasme zat aan te hikken.

Joyce, die de hele avond niet meer heeft uitgebracht dan 'schenk me nog even bij', kijkt met enige discretie (of noem je dat toch begeerte?) naar de tafel.
Ze zet haar glas neer, buigt zich over de spulletjes en zegt dan quasi-nonchalant: 'Ik wil die, en die, en die en… doe ook maar die. Hatsjikidee! En dan ga ik straks 's even fijn doe-het-zelven!'

You go girl!

De party is inmiddels een week geleden en Joyce… Joyce hebben we al een week niet gezien. Zou ze er dan eindelijk bij horen…

## De project-test

Met mijn huidige project (ik heb goede hoop dat hij de zes maanden grens gaat halen) ging ik, om bij te komen van alle drukte (lees = om hem te testen), een weekje op vakantie naar de Dominicaanse Republiek.

Hoe verwend het ook klinkt... vliegen haat ik! Niet omdat ik bang ben, maar omdat ik na een uur mijn draai niet meer kan vinden, na twee uur misselijk ben van het eerste vliegtuigmaal, na drie uur zware behoefte krijg in een sigaret, na vier uur tot de conclusie kom dat dat er toch echt voorlopig niet inzit en dus de rest van de reis door alles en iedereen geïrriteerd raak.
Project-lief begreep al mijn frustraties en bleef de hele reis aardig en lief.
Test één geslaagd!

Aangekomen op het resort was het een en al genieten.
Prachtig weer, zon, zee, salsamuziek en mooie mannen. Oeps... daar ga ik al de mist in. Kan natuurlijk niet.
Correctie: En... de man van mijn dromen!

Na eerst uitgebreid alle hoeken van de kamer te hebben geïnspecteerd (Test twee geslaagd met vlag en wimpel) op naar de playa!

Onderweg naar het strand geef ik mijn vergevorderde project, als onderdeel van mijn test (even checken hoe het met zijn zelfbeheersing en gevoel voor humor gesteld is), een zetje waardoor hij met kleding en al het zwembad in flikkert.
Wederom: Hoera!

Op het strand lekker relaxen. Ik vol in de zon, hij drie meter verderop in de schaduw. Bij de locals zorgde dit voor enige verwarring (echt, na een beetje zon ziet mijn haar eruit alsof ik een dag in de peroxide heb gehangen en hoe lelijk ook... in dit soort landen doet dat het juist erg goed).

De beachboys zagen hun kans schoon en knoopte in gebrekkig Engels een praatje aan.
Lief observeerde, dacht na en kwam in actie. Nee, hier was hij duidelijk niet van gediend.
Jammer...ik vond die aandacht natuurlijk weer veels te leuk, maar ik was hier met een doel... De ultieme project-test en hij zou falen als hij zonder op of om te kijken zijn krantje – nou ja, de FHM met allemaal mooie blote wijven – zou blijven lezen.
De FHM even daargelaten verliep ook deze situatie naar alle tevredenheid.

Bij het zwembad ontmoetten we een gezellige Nederlandse meid van negenentwintig met naast haar een Dominicaan met mega-afro + één geblondeerde lok van twintig jaar.
'Mijn vriendje'.
Die meid was een vakantie terug verliefd geworden op Afro en was speciaal voor hem teruggekomen.
De vakantie betaalde zij, maar hé... liefde maakt blind.
Twee weken lekker van elkaar genieten en daarna... daarna zou ze wel weer zien.

Nog geen vijf dagen later zat ze met pruillip aan de bar. Ruzie!
Afro had zijn spullen gepakt.
Ze had nog ge-sms't: 'I love you' (Hmm, nu al? Maar hé... ook dat gaat soms heel snel). Tevergeefs.

Een uur later arriveerde een zonnebankbruin stel bij de bar.
Zo op het eerste oog zagen ze er gelukkig uit, maar nog geen tien minuten later...
'Zijn jullie al lang een stel?'
'Nee, we zijn nu zo'n vier maanden samen, en jullie?'
'Uh, nou... dat is een beetje een ingewikkeld verhaal. Zodra we terug zijn ga ik namelijk terug naar mijn ex.'
Ze laat direct een foto van de man zien op haar mobiel, met als mededeling: 'Dit is de echte. Tja, hij heeft alles betaald, dus vond het een beetje zonde niet te gaan. Pik ik dan toch maar even lekker mee, maar sstttt... hij weet dit natuurlijk niet.'
'Jeetje, en je ex dan? Wat vindt hij er dan van dat je hier nu zit met

een ander?'
'Nou hij heeft een jaar in de bak gezeten, toen moest ik wachten. Nu mag hij wachten. Als hij van me houdt, moet hij me dit maar gunnen.'

Dit alles gebeurt terwijl haar 'vriend' op nog geen meter afstand staat.

Twee meiden met alle twee een bizar verhaal. Het enige wat dan nog helpt is: Tequila.
Na iedere slok checkte negenentwintig haar mobiel waarna ze direct besloot er nog één te nemen.

Na het zoveelste glaasje bocht heb ik me, uit pure frustratie, uitgeleefd tijdens de karaoke-wedstrijd en deze, jawel, met het liedje 'I will survive' gewonnen.
Ik vond het enig, vriend had een beetje last van plaatsvervangende schaamte, maar twijfelde echter geen seconde om mijn gewonnen prijs, een fles goedkope Champagne, samen leeg te drinken.

Het was intussen 02.00 's nachts en dus tijd voor nog een testje. Baldadig als ik kan zijn met te veel alcohol op, roep ik: 'Wie gaat er mee zwemmen?' Geërgerd wijst mijn lief me op het bord 'verboden te zwemmen na 19.00 uur.'
Ik sta op, zeg dat hij niet zo braaf moet doen, neem een aanloop en... Bommetje! Mijn schat keek me niet begrijpend aan. Balanceerde even op het grensje 'boos vs. meedoen' ... Gelukkig, hij koos voor het laatste, trok zijn broek uit en nam, heel moedig, een duik. Project-test geslaagd!

Zelfs de oh zo leuke excursie (ik haat excursies) waarbij we om 6.00 uur moesten verzamelen voor een gezellige busrit van drie uur, verliep op rolletjes.
Gewoon tot 11.00 uur niet tegen me praten, dan komt het vanzelf goed.

De score opgeteld kan ik zeggen dat project-lief een ruime voldoende heeft gescoord.

Niet gek! Zal hij de volgende fase gaan halen?

## Eén keer trek je de conclusie...

Drieëndertig jaar geleden zag ik jou voor het eerst.
Samen spelen in de box.
Volgens onze mama's, geen liefde op het eerste gezicht. Jij was de baas.
Om dit duidelijk te maken, gaf je me zo nu en dan even een mep.
Sorry, zoals je het nu noemt: een corrigerende tik.
Ik vond het allemaal prima. Jij was tenslotte ouder. Wel drie hele maanden!
Toch kwam er een dag dat ik het zat was. Ik pakte je arm en beet met mijn drie kleine melktandjes zo hard als ik kon.
Vanaf dat moment waren we elkaars gelijken.

Een vriendschap was geboren.

Wat hebben we veel meegemaakt.
Dagen vliegjes redden uit de sloot. Naaktslakken onderbrengen op mama's balkon. Potjes met wandelende takken, eendjes voeren, verstoppertje spelen... we mochten niet in de kledingkast en toch was dat verstopplek nummer 1.
De manege. Uren brachten we er door. Borstelen, rijden, ravotten, muizen vangen in de hooiberg.
Bij elkaar logeren. Rond twee uur 's nachts zei jij dan: 'Slaap lekker welterusten tot morgen' en rond drie uur 's nachts kon mijn vader je vanwege je heimwee weer naar huis brengen. Je kon er de klok op gelijk zetten.

Samen op zwemles en een wens doen als we een reiger zagen, of spelen bij oma op zolder en dan limonade drinken uit de haarkleurflesjes.
We speelden winkeltje... niemand kocht iets, behalve onze mama's.
Stenen verzamelen, carnaval, jongens (jongens plagen zoentjes vragen), ons eerste stiekeme sigaretje. Biertjes pikken uit de garage.
Zwijmelen bij Tom Cruise.

Samen in bad en dan de hele fles parfum van mijn moeder

leeggooien. Ons hele lijf inkleuren met Eddingstiften. De pluisjes van onze maillotjes afknippen totdat er niks meer van over was. Met de gereedschapskist uit de garage onze beugels losknippen voor het geval dat die eerste tongzoen zou komen.

Ik weet nog dat we zagen dat een man zijn portemonnee liet vallen. 'Sssttt, niks zeggen.' We brachten de portemonnee naar de politie en kregen vijfentwintig gulden omdat we zo eerlijk waren.

Of die keer dat we een hut hadden gebouwd van hooi en dat je me toen wijs had gemaakt dat ik een teek op mijn hoofd had. Jouw moeder heeft een uur staan 'vlooien'. Oh, wat had je een lol.
De vakanties. Spelen bij het Muiderslot. De eerste vriendjes. Uitgaan. De eerste keer dronken worden. School. Skiën. Uren aan de telefoon...
Als we ons voorstelden zei jij: 'Ik ben Bie' en dan zei ik: 'En ik ben Les' en dan steevast in koor: 'En samen zijn we lesbie.'
De rijstkorrel met naam en het gebroken hartje waarvan we ieder de helft aan een kettinkje droegen.

In de puberteit gingen we elk onze eigen weg, maar vergeten... nee, dat deden we elkaar nooit.

Ook nu maken we nog steeds van alles mee.
Mooie en verdrietige gebeurtenissen worden gedeeld.
Mijn zoveelste project, jouw huwelijk, werk, het overlijden van onze mama's, elkaars geheimen en het mooiste cadeau, de geboorte van jouw prachtige zoon.

Herinneringen, wat zijn het er veel. Ik kan er kantjes over volschrijven

De mooiste les die wij elkaar hebben geleerd is dat echte vriendschap van onschatbare waarde is.

Vriendschap is zeldzaam. Vriendschap is loyaliteit. Vriendschap is vertrouwen. Vriendschap is belangeloos. Vriendschap is kostbaar. Vriendschap is puur. Vriendschap is geluk en het delen van een lach en een traan.

Vriendschap is zij… zij is er voor mij, ik ben er voor haar. Dat is goed, dat is mooi… dat is voor ALTIJD!

En zij… zij heet Anouk.

Eens trek je de conclusie. Vriendschap is geen illusie.

TIK TAK
TIK TAK

## Junior midlifecrisis

Het dertigerdilemma... wie kent het niet?
Dat kunnen alleen maar mensen zijn die nog geen dertig zijn, denk ik.

Zit ik wel op m'n plek bij die baan? Is dit wel de juiste man voor mij? Is dat rokje niet te kort? Zie ik daar nou weer een rimpel? Wordt die cellulitis erger? Wel of geen botox? Kan dat lange haar nog wel? Ben ik nou echt de oudste in deze discotheek? Wat is de zin van het leven? Heb ik nu weer te heet gewassen? Floten die bouwvakkers echt niet? Sprak die verkoopster me aan met U? Is het al tijd voor kneuterigheid? Stond dat 'meisje' van achtentwintig nou serieus voor MIJ op in de tram?
En niet te vergeten... tik, tak, tik, tak.

Onzekerheid en twijfels. Voor het één ben je te oud, voor het ander weer te jong.

Ikzelf ben na de puberteit direct doorgerold in de junior midlifecrisis en zit daar vandaag de dag nog steeds in vastgeroest.

Ieder ochtend wanneer mijn wekker gaat concludeer ik dat ik al sinds mijn geboorte de ziekte van Pfeiffer moet hebben.
Als ik vervolgens met m'n beste beentje uit bed stap en na vijf minuten eindelijk mijn ogen kan openen en zonder kraken kan lopen, verplaats ik mij naar de badkamer waar ik mij elke ochtend weer rot schik als ik een blik in de spiegel werp.
Vervolgens ga ik onder de douche met het licht uit.
Waar ik vroeger in een mum van tijd klaar was, duurt het nu toch zo'n goede vijftig minuten wil ik toonbaar zijn.
Onderweg naar mijn werk doe ik er de hele rit over om een representatieve glimlach op mijn gezicht te toveren. Met minimaal resultaat bgroet ik op monotone wijze mijn collega's.
Na mijn broodnodige kopje koffie en het checken van mijn mail, ben ik na 5 minuten eigenlijk alweer moe, waardoor ik om 10.00 uur al toe ben aan mijn Cup-A-soup-moment. De rest van de dag kijk ik ieder kwartier op de klok.

Om precies 17.00 uur sleep ik mezelf naar de plaatselijke Super om te kijken welke eenmansgerechten er vandaag in de aanbieding zijn. De vele keuzes geven me stress.
Dan volgt nog even het hoogtepunt van de dag; file, waarbij het lijkt alsof iedere passerende auto gevuld is met gelukkige gezinnetjes.
Thuis aangekomen bereid ik, met dank aan de magnetron, in drie minuten mijn maaltijd om vervolgens compleet gedeprimeerd en chagrijnig uitgeblust op de bank te ploffen.
Nadat ik bij het opstaan om naar het toilet te gaan, geconfronteerd wordt met een enorme kuil in de bank (lees = toges) verplicht ik mezelf naar de sportschool te gaan.
Hier doe ik dan, met zuur gezicht, het standaardrondje waarna ik met een iets beter gevoel wederom uitgeblust op de bank plof.
Na een paar uur zappen is het alweer bedtijd en kruip ik als eenzame Remi mijn mandje in.
Dit ritueel herhaal ik vijf dagen achter elkaar en dan...

Dan is het WEEKEND!

In het weekend voel ik mij gewoon weer heerlijk, fantastisch, energierijk, mooi, slank en vooral... 20!
Als ik dan op zondagnacht mijn schattige buurmeisje, waar ik vroeger voor vijf gulden per uur babysit speelde, aan de bar zie zitten, eindigt het euforische gevoel en begint mijn Hel weer van voren af aan en weet ik dat deze hel symbolisch is voor mijn leven.

Herkenbaar?

Gelukkig is dit niet mijn alledaagse leven en is bovenstaande in mijn geval alleen maar een vreselijke nachtmerrie.
Toch is het herkenbaar.
Ondanks dat ik mijn baan heel leuk vind, ik een te gek sociaal leven heb, meestal tevreden met mijn uiterlijk ben, het heerlijk vind om te gaan sporten en regelmatig leuke dingen doe, steken ook bij mij soms twijfels en onzekerheid de kop op.

Zo vraag ik mij meer dan eens af of ik tot nu toe wel alles uit het leven heb gehaald en zit tik, tak, tik, tak meerdere momenten per dag in mijn hoofd.

Maar ja... wat doe je er aan?

Ik denk altijd maar dat je beter spijt kan hebben van dingen die je wel hebt gedaan dan van dingen die je niet hebt gedaan. Mocht dit niet werken dan denk ik aan mijn vriendin met vier krijsende kinderen en weet ik dat het altijd erger kan!

En mocht zelfs die gedachte niet werken... tja, dan kan ik alleen maar hopen dat het leven echt pas begint bij veertig. Tik, tak, tik, tak zal mijn brein dan in ieder geval niet meer lastig vallen. Hoop ik. Arghhhh!

CLUB
MEMBERS ONLY

## Het wordt nog veel erger

Omdat we dit keer eens niet wilden gaan servies schilderen, chocola maken of hamammen namen we onze vriendin voor haar vrijgezellenparty mee naar een parenclub.

Na lang zoeken vonden we een club waar je ook zonder partner welkom was.
We kozen een datum, sloten een pact en vonden ons vooral heel stoer dat we dit gingen doen.

Om 22.15 uur komen we aan bij een grote boerderij. Jammer, het parkeerterrein staat vol met auto's. Fuck...

Een half uur en twee joints later durven we eindelijk over de drempel te stappen.

Eenmaal binnen in de club, waarvan de deuren handkrukken van bronzen penissen hadden, werd ons verteld dat we nog een kwartiertje met kleding aan bij de bar mogen zitten, maar dat vanaf 23.00 uur lingerie (en dan bedoelde ze geen huis, tuin en keuken ondergoed) verplicht is.

Trillend op onze benen stonden we aan de bar alles wat met alcohol te maken had naar binnen te gieten.

De eigenaar die we direct herkenden van de website bood aan ons een rondleiding te geven... voorwaarde was wel dat hij dit één voor één wilde doen.
Dat was mijn eerste bijna kotsmoment, maar het wordt nog veel erger...

Om 23.10 uur moesten we er toch echt aan geloven.
Ik zelf had zoveel mogelijk lingerie aan als mogelijk was. Ook de andere meiden hadden voor deze speciale avond zeer hun best gedaan er niet al te hoerig uit te zien.
Voor de bride-to-be hadden we een knalrood doorschijnend

slettenpakje gekocht met rode kousen en een bontje. Wat moet ze ons gehaat hebben!

Alleen het omkleden al was om te gillen.
In onze sexy niemendalletjes en torenhoge stiletto's liepen we, alsof we diehard clubbezoekers waren, naar de bovenverdieping.
De bovenverdieping... de plek waar het allemaal gebeurde!

Elkaars handen vasthoudend betraden we, stijf van de zenuwen, het donkere doolhof.

Glimlachen naar mensen die en passant voorbijliepen was volgens Jill uit den boze: 'Niet doen! Dan geef je verkeerde signalen af', dus keken we allemaal naar de grond.

Buiten de naaktheid waar je mee geconfronteerd werd (zoals je inmiddels weet kan ik daar slecht tegen) hing er een vreselijk penetrante sexlucht wat je deed kokhalzen.
Kleine donkere gangetjes en een vieze lucht... nee, geen goede combie!

Een claustrofobische aanval later trok ik de meiden een kamertje in wat achteraf 'de gouden vulva' bleek te heten.
Serieus, ik verzin dit allemaal niet.

Even op adem komen... NOT! Gadverdamme! Wordt daar een griet in een gynaecologenstoel even zwaar pornografisch schoon gelikt en een meter verderop een vrouw zo verschrikkelijk hard gevingerd dat je van ellende en schrik bijna 112 wilde bellen. Ook dit verzin ik niet. Kotsmoment twee, maar het wordt nog veel erger...

In lichte draf probeerden we uit het doolhof te komen.
Al zoekend naar de uitgang probeerde een vrouw (nee, geen man) op de tast mijn cupmaat te raden. WAAR IS DE UITGANG!?

Eruitttttttttttttttttttttttt!!

Eenmaal op adem gekomen besloten we, dapper als we waren, een andere ruimte te gaan bekijken. Hé, we zijn er nu toch.

Terwijl we aan het bedenken waren welke richting we op moesten gaan werd links van ons nog even een vrouw genomen door een gigantisch grote neger met bijpassende kont. Kan je vertellen... een indrukwekkend tafereel.

We kozen voor de 'spa'. Er brandde licht en de smerige spermalucht kwam hier niet in aanraking met je neusvleugels.
Karin stelde voor lekker met z'n allen in het bubbelbad te chillen. Top idee... of toch niet!
Het bubbelbad was gevuld met zeker twintig mensen die allemaal aan, op of in elkaar zaten.
Serieus! Iedereen zat aan elkaar en dus in dezelfde smurrie.
Hoe kunnen jullie hier in hemelsnaam van genieten, mensen?!
Zwaar kotsmoment, maar echt het wordt nog veel erger...

Hup naar de relaxruimte.
Buiten dat er op het 16-persoonsbed naakte mensen lagen, werden we hier even niet geconfronteerd met gerampetamp en andere ranzige praktijken.
Een verademing.
Na ons wederom moed te hebben ingedronken, kropen we knus op het giga-bed.
Lam als we waren konden we buiten wat gegiechel niks uitbrengen.
De jarretels waren inmiddels losgesprongen, maar hé... fuck it.

Na enkele minuten werd onze rust verstoord. Een goed uitziende man vond zo'n groepje meiden wel interessant en besloot voor een 'praatje' te gaan. Hij vertelde dat hij samen met zijn vrouw met enige regelmaat een club bezocht. Volgens hem het best bewaarde huwelijksgeheim.
Zijn vrouw, die alleen maar oog had voor onze bride-to-be, beaamde dit door middel van een uitdagende knipoog.

In een fractie van een seconde besloot de man even lekker zijn tong

in Karin haar mond te stoppen. Karin die megalam was deed vrolijk mee.
*(Hallooooooooooo! Maak me wakker uit deze nachtmerrie!)*

De man had zijn linker hand op de flamoes van zijn vrouw en met zijn rechterhand was hij zichzelf een handje aan het helpen.
Wij toeschouwers waren zo verbijsterd dat het enige lachje dat er nog klonk die van een boer met kiespijn was. Van ongeloof en schaamte staarden we recht voor ons uit.
Ka bleek nergens last van te hebben en zoende er lustig op los. Ze genoot...
Toen de vrouw haar slipje opzij duwde was het 'intieme' momentje van mijn vriendin direct voorbij.
Wel eens een gezicht van uitdrukking; mega relax naar uitdrukking; complete paniek zien veranderen in 1 seconde? Zo jammer dat je geen fototoestel mee naar binnen mocht nemen. Echt waar, die foto was goud waard geweest.
Kortom; Ka volledig verbouwereerd en wij compleet in een deuk.

Het lachen verging ons echter snel. Links van mij lag namelijk diezelfde gigantisch grote neger met bijpassende kont onverstoorbaar zijn tweede voorstelling te geven van hoe snel hij zijn bekken kon bewegen en nee, het was niet dezelfde vrouw als eerder op de avond.

Het geluid wat ermee gepaard ging bezorgde me wederom een kotsmoment.
Maar geloof me...het wordt nog veel erger.

Overal zag je neukende mensen. Man-vrouw, vrouw-vrouw, man met meerdere vrouwen, attributen... Je kan het zo gek niet bedenken of het gebeurde.

Toen ik ook nog 's twee mannen bezig zag het gezicht van een vrouw te swaffelen, was ik klaar.
Veilig terug aan de bar bestelden we nog één laatste drankje.

En toen gebeurde het…

Ohhhh… ik durf het van schaamte bijna niet te vertellen.

Oke, komt ie:

Terwijl we hysterisch lachend de avond aan het evalueren waren, hoor ik…: ‘Hé, wat leuk! Hoe is het met je, zit je nog steeds in de evenementen?
Goh, dat ik jou hier tegen kom. Nooit gedacht dat jij een Clubber was?’

Kut! Fuck! Zo niet BLIJ!!

SJEZUS! Dit kan echt alleen mij overkomen. Kom ik gewoon een bekende tegen. En ook nog ‘s van het werk. Zit ik daar in mijn snol-outfit. Fuckkkk!!
Probeer je daar maar eens uit te lullen…

Nee, erger dan dit kan niet!

## De Sjaak!

Ik ben tante van drie neefjes en één nichtje.
Aangezien men denkt dat je als single weinig te doen hebt in de avonduren (projecten tellen namelijk niet mee), komt het regelmatig voor dat ik opgeroepen word en dus de Sjaak ben.

Laatst had ik mijn twee neefjes. Mijn zwager zou de jongste van de crèche halen, maar ja... te druk. Kan tante wel even doen en ach, als je dan toch die kant op gaat haal dan ook even vriendje Luca op. Kunnen jullie leuk met z'n allen naar de McDonald's.
Dit alles wordt uiteraard geroepen in het bijzijn van mijn neefje, waardoor 'nee' geen optie is.

Mijn neefje merkt op dat we onderweg naar de crèche langs de speelgoedwinkel rijden en meneer Wijsneus vond dat hij wel een cadeautje had verdiend.... kleine moeite.

Niks geen kleinigheidje. Nee, deze dwerg van vijf weet wat hij wil en kiest een flut plastic Pokemon-spel van bijna veertig euro!

Vriendje Luca opgehaald en op naar de kinderopvang.
Eenmaal daar tref ik een uitgevloerd mannetje met speen in de mond. Volgens de juf was de kleine schat kapot. Heerlijk. Helemaal goed.

Te vroeg gejuicht! Ik had nog geen vijf meter gereden of het raam was al twintig keer op en neer geweest. Liga's werden verbrijzeld in mijn net schoongemaakte auto en blubbervoetjes bedekten de bekleding van de stoelleuningen.
Bij de Mac was het al niet veel beter. Om niet al te lang van stof te worden... Mayonaise-handjes sieren nu mijn prachtige leren designtas.

Klagen heeft geen zin. Als je als niet-moeder namelijk zegt dat het een 'hele bevalling' was krijg je meteen een tirade van hoe zwaar hun leven is en dat mijn problemen in het niks vallen vergeleken bij die van hen. Nooit meer een moment voor jezelf, bla, bla, bla. Met een beetje pech leggen ze letterlijk uit wat een écht zware bevalling is.

Maar…

Niet alleen zussen denken dat je een kinderloze vrijgezel kan misbruiken voor oppasdoeleinden. Nee, ook mijn vriendin schijnt het idee te hebben dat haar bruine labrador bij mij in zeer goede handen is.

Een bruine reu van maar liefst achtenveertig kilo. Volgens mijn vriendin is hij absoluut niet dik maar gespierd… komt dan ook regelmatig een nachtje doorbrengen in mijn 'ruime' appartement.

Lig je lekker in slobberbroek zappend op de bank, kijken er een paar hondenogen naar je die je niet kan weerstaan.
Kijk, als het nou zou gaan om zo'n schattig klein mormeltje, is het nog tot daar aan toe. Nee, in dit geval is het niet ik die de hond uit laat, maar de hond die mij uitlaat. Vervolgens krijgen hond en ik ruzie over het getrek aan de riem, dus om het beest tegemoet te komen doe ik de riem af.
Gevolg hiervan is dat ik hem kwijt ben, een uur door de kou moet zoeken, om uiteindelijk met plakjes kipfilet en andere chantagepraktijken hem naar binnen weet te lokken.

Terwijl je kleine keffertjes makkelijk voor de deur hun plasje kunt laten doen, is dat bij honden van dit formaat, geleerd door bovenstaande ervaring, anders.
Nee, deze lomperds moeten rennen. Hun energie kwijt.
Dus dacht ik: TOP! Ik vind het namelijk heerlijk om tijdens een wandeling in het bos even mijn hoofd leeg te maken. Het jammere is alleen dat dit nooit mogelijk is zonder medelijden van andere wandelaars, je hoort ze denken: *zielig, zo'n vrouw alleen.*

Ik had dus bedacht om het nuttige met het aangename te combineren…. weer zo'n foute gedachtegang.
Na de hond drie keer uit de sloot gehaald te hebben (mijn

hondenkennis is niet echt ontwikkeld, vandaar ook dat ik niet op de hoogte was dat dit ras een grote liefde voor water heeft), had ik het gehad met mijn ontspannen wandeling.

Het duurde even voordat ik de inmiddels zwarte labrador in de achterbak van mijn lekker ruikende, schone auto had. Fijn!
Maar toen kwam de druppel... Ik was nog geen vijf minuten onderweg of het gevaarte sprong over de achterbank om gezellig naast me te komen zitten. Mijn kilo kipfilet was inmiddels op en dus reden hond en ik, naast elkaar, stilzwijgend naar huis.
Moet bekennen dat dit gebeuren een enige bibberatie teweeg bracht.

Men zegt wel eens: Alle mannen zijn honden...
Vandaar dat ik met beiden zo veel moeite heb.

EV

## De enige echte winnaar is zij

'Kwaadaardig, daar hebben ze toch ook een naam voor, is het eerste wat ik denk. Dat heet toch kanker?! Het eerste dat ik weet uit te brengen is; hoe moet ik dit nu gaan oplossen met' mijn' kinderen, met de danslessen, een juf met kanker... dat kan toch niet? Tijdens het gesprek blijven Bas en ik verbazingwekkend rustig. We begrijpen wel heel goed dat het een hele hoop 'gedoe' gaat worden, dat we hier voorlopig nog niet klaar mee zijn, maar vanaf het allereerste moment weten we dat het goed gaat komen.'

Dit zijn de woorden die mijn bijzondere vriendinnetje Sandra op haar site plaatst wanneer er op 8 maart 2007 eierstokkanker bij haar wordt geconstateerd.

Met haar hoofd onder de dekens? Mooi niet! Ze besluit haar boxhandschoenen aan te trekken en de strijd aan te gaan.
Vanaf dat moment werd de filmtune van Rocky haar lijflied, werd een grote beer, genaamd 'Gezwelgje' (voor kinderen 'zwelgje'), haar mascotte en kon niets of niemand haar meer tegenhouden.

Een strijd van twee moeilijke jaren volgde.
Een strijd met veel verdriet, ellende en tegenslag.

Al snel werd duidelijk dat ze haar grote passie, dansen, moest opgeven. Een grote klap.
Een nog hardere klap was misschien wel dat ze haar dansschool moest sluiten. Haar dansschool, met 'haar' kinderen.
De dag dat ze te horen kreeg dat ze een stoma kreeg, de dag dat ze geen eten meer binnen kon houden en er sondevoeding kwam, haar vele nachten in het ziekenhuis, de tegenvallende resultaten, de bijwerkingen...

Zo jong en toch al zoveel ellende moeten meemaken, maar gelukkig waren er ook heel mooie momenten.

Zo schitterde ze op het jubileumfeest in Studio 21.

Haar kale koppie zat haar niet in de weg. Integendeel. *'Ik heb nu toch een kale kop, daar moeten we dan maar gebruik van maken.'*
Zo gezegd zo gedaan. Haar hoofd werd beplakt met prachtige Swarovski stenen en als een heuse diva werd ze het podium opgedragen.
Mooi was ook de dag dat haar mascotte werd ingeruild voor een levende.
Een hondje. Een hondje waar ze vanaf dag 1 verliefd op werd en hoe kon het ook anders... ze doopte hem Rocky.
De meidenavondjes, het varen door de grachten van Amsterdam, de ballonvaart met haar ouders en liefde, de vakanties, haar vlindertatoeage, haar deelname aan het BNN programma 'Over mijn lijk', de actie 'Skating for Starz'...
En natuurlijk de allermooiste dag van haar leven. Het trouwen met haar grote liefde Bas.

Nu, bijna twee jaar, vier chemokuren, een stoma en twee zware buikoperaties later kunnen de bokshandschoenen uit.

Voor het laatst schrijft ze op haar site:

*'Oké, dit is het dan. Het enige wat ze voor mij nog kunnen doen om de situatie dragelijk te maken is morfine toedienen.'*

Op 2 februari 2009 besloot zij; Het is goed zo.

Er volgde een prachtig afscheid in Studio 21 op het Mediapark in Hilversum. Een afscheid waar zij zelf de regie van in handen had gehad.
Een afscheid waar de wereld van entertainment voor één dag ineens een heel droevige betekenis kreeg.
Een afscheid waarmee een definitief einde kwam aan een lange en moeilijke strijd.
Een afscheid waar Sandra voor de laatste keer een staande ovatie kreeg.
Een afscheid waardoor een jonge talentvolle ster in een echte ster is veranderd.

Lieve Schat, dit was het dan...

Ga stralen.

Het boek is misschien dicht, maar de hoofdpersoon in dit verhaal zal altijd een winnaar blijven.

## Kijkuh, kijkuh, nie koopuh

Mijn goede vriendin Q. die al jaren door het leven gaat als serieuze BN-er, nodigt me uit om mee te gaan naar een modeshow van Mart Visser.

'Helemaal leuk. Ga mee! We zitten front row.'

Aangezien mijn kast vol hangt met Mart (not), verdien ik geen slechtere plek.

Even in vogelvlucht:

Om 19.00 uur werd ik opgehaald. Ik was pas om 18.30 uur thuis. Hoopvol bel ik Q. in de hoop dat ze vertraagd is. Helaas, zoals altijd keurig op tijd. Kut!
Snel douchen, haren wassen... shit... geen crèmespoeling...dit belooft niet veel goeds! Heb nog 10 minuten. Geen tijd dus voor de Carmenset (echt, voor mensen die niet kunnen föhnen... een carmensetje verricht wonderen).

Q. kennende zal wel weer volkomen uitgedost voor mijn deur staan. Wat moet ik aan?!
Ik besluit voor het kanten jurkje te gaan. Aangekleed en wel, maar nog steeds met zeiknat haar, haal ik de kwast over mijn gezicht, probeer met man en macht een rechte streep te zetten met mijn eyeliner. Ook dit keer weer mislukt (presteren onder druk is nooit mijn sterkste eigenschap geweest. En gooi ik er flink wat make-up tegenaan.

Dan belt Q. Ze staat voor mijn deur maar kan niet parkeren. Of ik even kan opschieten.

Hallooooooooo! Ik ben toch nog helemaal niet klaar!

Terwijl ik in de spiegel kijk concludeer ik dat ik allesbehalve ben opgeknapt...kanten jurkje gaat hem niet worden, ik lijk wel een

travestiet.
Misschien zonder panty. Nee, die twee melkflessen eronder... niet best.
Gefrustreerd bel ik Q.
'Q. ik zie er niet uit! Mag ik ook een spijkerbroek aan?'
'Kan prima. Doe er gewoon een mooie top op.'
'Weet je zeker dat het kan? Ik sta niet voor lul?'
'Neeee, schiet nou maar op.'

Gehaast maar opgelucht hijs ik me in een ongestreken spijkerbroek die ik net uit de wasmand heb gevist en ruk een bustier uit de kast (zo sjiek). Het vrouwonvriendelijke ding kreeg ik natuurlijk weer niet dicht (nadeel van het single-bestaan).

Getoeter.
Ik gooi alles wat me nog enigszins kan opleuken in een grote Albert Heijn tas (ook weer heel sjiek) zodat ik onderweg nog het een en ander kan verbouwen aan mezelf en stap de auto in .

Bij het aanzien van Q. ga ik me niet beter voelen. Kosten nog moeite zijn gespaard!

Prachtig jurkje, blote benen, high heels, een coupe alsof ze net bij Leco vandaan kwam, nepwimpers...Alles klopte.
Ik daarentegen zag er uit als een halve dakloze met nog steeds... nat haar!
Volgens Q. was dat op te lossen door gewoon even met mijn kop bij de blower te gaan zitten. De hele weg heb ik, terwijl Q. mijn bustier al rijdend dichtveterde, in positie 'nekkramp' tegen de blower aangehangen.
Wat een armoe!
Zelfs na mezelf zo gepijnigd te hebben bleek gebrek aan crèmespoeling alsnog de kop op te steken. Oké mijn haar was zo goed als droog, maar ik begon nu het uiterlijk van de Lion King aan te nemen.
Gegraai in mijn Appie Heijn levert me niks op. Dan maar een beetje Nivea handcrème erin....beter zo....

Even een snelle pitstop bij de Febo.
Terwijl we met enige tijdsdruk een smulrol + berehap uit de muur trokken (echt de veters van mijn bustier sneden in mijn rug) vingen we een, in mijn ogen, te komisch gesprek op van twee vrouwen die naast ons, zonder schuldgevoel, de hele muur naar binnen aan het schuiven waren.

'Goh Gerda zijn we toch al de hele dag in Amsterdam en nog geen BN-er gezien.'
Q. verslikt zich prompt en keek met grote verbaasde ogen naar de dames.
Je begrijpt... mijn avond kon niet meer stuk. Het deed me zelfs even de Lion King vergeten.

Hup, afrekenen. € 6,50. Gezien de geschiedenis van deze avond vond ik het wel zo gepast om dit etentje te trakteren. Klasse kan je niet kopen, dus waarom zou ik het proberen...
Op naar het rode loper moment.

Daar aangekomen wierp Q. nog even snel een blik in de achteruitkijk spiegel en stapte zelfverzekerd als een ware diva uit de auto. Direct wordt zij omringd door fotografen, terwijl ik als het lelijke eendje de sleutels afgeef bij de Valid parking. Très chique... en toch zooooooo anders.

Ik kijk om me heen en merk op dat werkelijk geen van de gasten last schijnt te hebben van de kredietcrisis. Kosten nog moeite gespaard.

Dan tikt Edwin Smulders me op mijn schouder. Of ik even samen met Q. wil poseren? Het enige dat ik over mijn lippen krijg is: 'Wat denk je zelf. Heb je gezien hoe ik eruit zie?'
Je hoopt dan dat zo iemand zegt dat het best meevalt. Helaas, hij knikt alleen maar begripvol. Fuck!

Niet snel erna volgt de tweede domper. Ik ben de enige aanwezige in spijkerbroek. Weer een fuck!
Hoe kan ik mezelf onzichtbaar maken?

Na Q. te hebben weggetrokken bij het zoveelste 'ik ben prachtig en hou van mezelf' praatje, namen we plaats. Plaats op rij uno! Gelukkig zaten we niet in het zicht... Met Patty Brard achter ons en de camera's van SBS Shownieuws frontaal voor ons... kortom, de garantie voor mijn Lion King TV debuut. En een dubbele fuck!

Licht uit, spot aan.
Eerlijk is eerlijk 'mijn goede vriend' Mart had zichzelf overtroffen.
Jammer alleen dat het voor mij bij kijken, kijken, niet kopen bleef.

Eindelijk! Tijd voor een drankje en een hapje op de beruchte afterparty.
(Echt het dak ging er af... not.)
Na twee glazen Champagne achterover getikt te hebben (het was tenslotte gratis) en drie bitterballen (yep, begon me thuis te voelen) begon het altijd gezellige socializen.

Gezellig. Werd voor de 100ste keer voorgesteld aan Christine Kronenberg (ben bang dat ik ook dit keer geen onuitwisbare indruk zal achterlaten). Ik besloot de eer wederom aan mezelf te houden en stak beleefd mijn hand uit.
Een gezellig onderonsje over lipglosjes volgde.
Volgens Christine is die van Dior Ge-wel-dig. Q. zweert bij Chanel. En ik... ik die net mijn labello roze wilde pakken besloot dit moment maar even uit te stellen.

Nog weer vier gratis glazen Champagne later was ik er klaar mee. Mijn inmiddels beste vriendin Christine gaf ik een luchtkus (zo doe je dat in deze kringen) en Umberto (na enig zoeken toch nog een donker persoon gevonden. Jippie) een box. Jammer dat hij het niet begreep. Was weer een gênant momentje.

Ik twijfelde nog even of ik Mart zou bedanken voor de gezellige avond, maar gezien mijn bijna provocerende look, besloot ik dat het beter was de beste man met rust te laten.
Zo onopvallend mogelijk baande ik me door de aanwezigen.
Na mijn 'made in China' te hebben opgehaald bij de garderobe

verdween ik, onopgemerkt, via de personeelsuitgang.

Eenmaal in de auto schrik ik van mijn spiegelbeeld. Na een half uur op Q. te hebben gewacht kan ik alleen nog maar denken: gelukkig wordt het altijd weer morgen.

Morgen kwam echter sneller dan verwacht. Om 20.00 uur ontvang ik het eerste sms'je. 'Ik zag je in een flits zitten bij Mart Visser.' Waarom heb ik nou nooit eens een mazzeltje!

Ach, je weet het op dit soort feestjes nooit... misschien heb ik met mijn Lion King look wel het begin van een nieuwe trend gezet. You never know (of heet dit struisvogelpolitiek?).

PFFF

## Even 1 onder invloed

Weet je wat ik het meest onsmakelijke vind wat er bestaat: boeren! Helemaal mensen die al boerend, maar wel met veel trots, het hele alfabet kunnen opzeggen.
Misschien vind ik het wel zo smerig omdat ik er niet goed in ben. In dat boeren dus. Wacht, ga het proberen...

Nee...

Ja, komt-ie.

Sjezus wat een lucht. Heb net een Turkse pizza gegeten. Niet best.

Wat krijgen we nou! Ik heb gewoon haar op mijn vingers. Lelijk zeg! Kan je dat laten laseren? Even googelen.

Je kan werkelijk alles laseren, behalve vingerhaar (vingerhaar... is dat een woord? De spellingscontrole kent het niet). Ben ik de enige met vingerhaar? Lekker dan. Morgen weer een nieuw complex.

Focus!

Op wat eigenlijk? Waar gaat dit verhaaltje over? Boeren en vingerhaar... nee, dit wordt het niet. Ga nog even een drankje nemen of wacht... ik doe een joint, ligt hier namelijk nog van een feestje (hoe lang blijft zo'n ding eigenlijk goed?).

Weet je wat... ik doe gewoon beide.

Ohhhhh, dat mag niet samen. Is een slechte combinatieeee.

Laat me met rust. WHO CARES!

Even een vraagje tussendoor:
Plassen jullie wel 's onder de douche?
Als ik het namelijk echt niet meer kan ophouden doe ik dat soms.

Heb trouwens net ook tussen twee auto's op straat geplast. Moest zo nodig!
Kut zeg. Zie nu dat het niet helemaal goed is gegaan. Had ik nou die suède laarzen maar ingespoten. Drommels (ha, ha... vind ik zo'n grappig woord).

Wacht, moet even de deur open doen. Mijn aangeschoten vriendin is haar huissleutel weer eens kwijt.

'Hi.'
Nou ja! Was dat nou een gasje?

Ze laat gewoon een scheet!

'Sorry. Ik moet poepen.'

Eerste gedachte: Serieus! Kan ze dat niet lekker thuis doen ofzo?

Tweede gedachte: Ach, kan mij het ook schelen. Schijt die hele pot vol als je wil.

Derde gedachte: Ik heb geen wc.

Vierde gedachte: .... Nee, heb ik niet.

Ik voel me lekker. Ik weet zeker dat ik nu vet goed in bed zou zijn. Jammer dat er een piemel ontbreekt! What's new!
Zelfs knuffelen is er niet bij. Wacht ik ga mijn laptop knuffelen.... Liefde!

Hé, daar is vriendin weer.

'Hi.'

'Lekker gepoept?'

Ze komt niet meer bij van het lachen. Ik snap de grap niet. Jammer weer.

'Kietel me ff, kan ik ook lachen.'

Ik voel me niet zo lekker meer. Ik voel me Amy Winehouseerig.
Ikke is misselijk. Moet spuugje doen. Als in NU!

Kut. Is ook niet helemaal goed gegaan. Weer die laarzen.

Eerste gedachte: Heb ik toch echt geen kracht voor. Morgen weer een dag.

Tweede gedachte: Toch niet zo fris. Kan vriendin het niet schoonmaken?

Derde gedachte: Ik kan ook gewoon de deur dichtdoen.

Vierde gedachte: ... Nee, heb ik niet.

Wat een wijsheid zo op de late avond: boeren, vingerhaar en kontgassen.
Het niveau is weer hoog.
Voel me zo verrot. Echt waar, ik drink nooit meer en dit keer meen ik het echt.

Doei. Ik ga lekker slaapjes doen. Gezellig in m'n eentje schaapjes tellen. Te gek!

Trusten.

HERO
GUY

## Het nieuwe daten

Vroeger was je druk met het maken van oogcontact.
Vroeger wachtte je in spanning op een originele openingszin.
Vroeger kreeg je, als blijk van interesse, een drankje aangeboden.
Vroeger maakte je hart een sprongetje bij een mooi compliment.

Vroeger is niet meer.

Tegenwoordig schijnt heel vrijgezel Nederland zich 'bekeerd' te hebben tot datingsites.

In de veronderstelling dat je heil zoeken tot dit medium enkel kansloze types betreft, kwam ik na enig speurwerk tot een heel andere conclusie.

Tijdens een dolle bui heb ik voor een vriendin, onder het mom: help vriendin de zomer door, een profiel aangemaakt.

Om de prins te vinden moet je natuurlijk een beetje jokken (wat dat betreft is er niks veranderd met vroeger).
Zo werden gewicht en leeftijd naar beneden afgerond en de lengte ietsjes omhoog geschroefd. De M maakte bij 'opleiding' plaats voor een H en in plaats van eerlijk te zijn over het feit dat mijn lieve vriendin al jaren sponsorlid is van de sportschool, loopt ze er in mijn omschrijving de deur plat.

Dat ze zich regelmatig laat vollopen in de kroeg hoeft natuurlijk ook niemand te weten. Nee, onder het kopje alcohol werd ingevuld: 'soms' en hoewel ze een ware schoorsteen is kon ik dit met één klik op de muis reduceren tot vijf sigaretten per dag.

Leugentjes om bestwil noemen we dat.

Nog geen twee minuten na het activeren van het profiel stroomden de berichtjes al binnen.

Niks kansloos! Lekkere mannen. Sexy HBO-ers zonder kinderen!

Voordat ik reageerde (ik moet er nog even bij vertellen dat mijn vriendin niet op de hoogte was gesteld...) eerst eens even kijken wat voor vlees er zoal te halen viel. Je moet immers nooit op het eerste het beste paard wedden. En zeker niet op één paard.

Wauw! Het blijkt een waar Walhalla (verdomme, waarom ontdek ik dit nu pas! Zit ik weer in m'n maag met een project).
Oh oh... Laat je niet afleiden! Dit is een vriendendienst.
Na wat heen en weer te hebben gemaild ontdek ik dat diezelfde HBO-kerels toch wel erg veel spelfouten maken.
Zet je toch aan het denken... zullen zij ook een beetje hebben gejokt?

Ik word uitgenodigd voor een chat met een man die zichzelf de nickname Superman heeft toebedacht.Superman... hmmm, link ik aan stoer, sexy, sterk... een held! Kortzichtig of niet – het is tenslotte een schuilnaam – schept het zeker enige verwachting. Ik klik op 'accepteren'.

Na een half uurtje (chit)chatten vraag ik of hij een foto wil mailen. Zoals het een echte superman betaamt, verscheen deze per direct in mijn mailbox.

Wat een grap! Hij leek in niets op de stoere held die ik voor ogen had. Nee, 'dit' kon zo auditie doen voor de Teletubbies.

Dag Tinky Winky! Hup, in de blokkeermap.

Na nog een paar gevallen van 'jammer' was ik het zat.
Toen ik bijna de handdoek in de ring wilde gooien diende, zo uit het niets, de perfecte date voor mijn mopje zich aan.

Daar was ie dan!
Een leuk profiel, met als laatste regel: 'Don't wanna be a bandaid for a wound that ain't mine.'Kijk hier hou ik van. Laat die rugzak met ellende maar thuis. Helder en duidelijk.

Met enige haast (het kon namelijk zomaar gebeuren dat een van de andere miljoenen leden hem zou wegkapen) bel ik mijn vriendin.

Een klein deukje in de vriendschap was het gevolg nadat ik haar eindelijk op de hoogte had gebracht dat zij reeds twee weken in volle glorie door heel vrijgezel Nederland was te bewonderen.

Toch raakte zij, met gespeelde tegenzin, geïnteresseerd naar mijn 'catch of the net'.

Dezelfde avond zat mijn vriendin tot diep in de nacht, met rode konen, te chatten met 'Evenwicht'.

Resultaat: (tromgeroffel) EEN DATE!!!!

Yeah!! En nog een Yeah!!

Afgelopen zaterdag was het dan zover. De grote dag!
'Moet ik mijn benen en bikinilijn bijwerken? Lingerie of Hema? Broek of sexy jurkje? Oh god, oh God wat doe ik mezelf aan!! Straks is een het een enorme looser en dan?'

Dat zien we dan wel weer!

Om 19.00 uur ging ze gespannen in een mooie, maar verantwoorde outfit de deur uit.

Ik, die het minstens even spannend vond als zij, heb de hele avond duimen lopen draaien in afwachting van het verlossende telefoontje...

Het bleef uit, maar...

De volgende dag stond ze voor mijn deur met een grote bos bloemen!

YEAH!

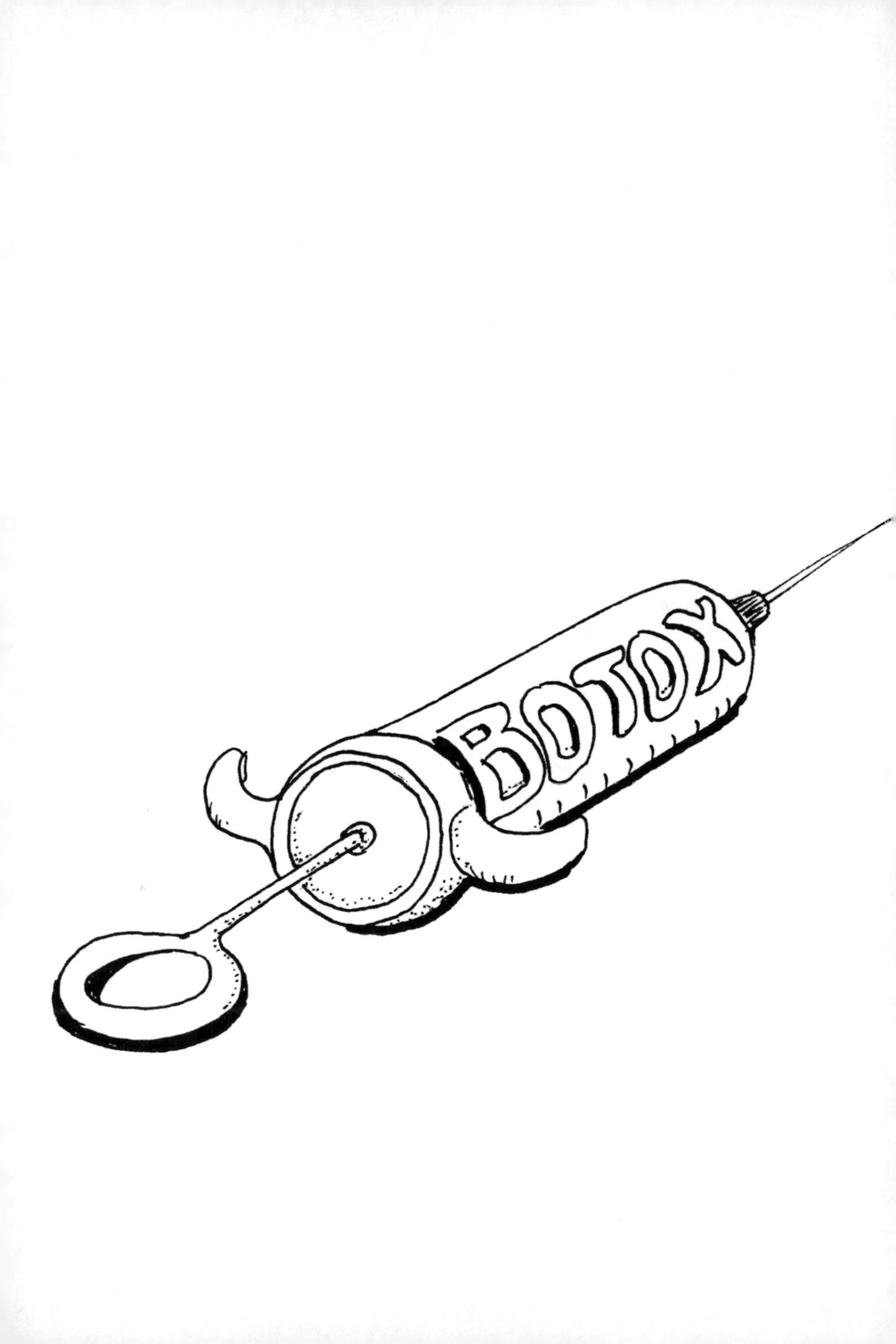
BOTOX

## Tenminste houdbaar tot

Rimpels, plooien, groeven, kronkels, fronsen, wallen, kreukels, vouwen.
Bij mijn kapper het gesprek van de dag.

Deze Helwegen-aanhangers gaven mij een interessante les in het uitbuiten (de consequenties en risico's daargelaten) van je persoonlijke
(lees = lichamelijke) houdbaarheidsdatum.

- Op je 14e begin je met blonderen.
(ik kreeg een opmaakpop en maakte kennis met maandverband).
- Op je 16e laat je voor het eerst je tanden bleken.
(Ik was vooral druk aan het soebatten om een brommer).
- Op je 18e vraag je je ouders een borstvergroting cadeau.
(tien rijlessen en kennismaking met anticonceptie).
- Op je 20ste gaan de extensions in het haar.
(begon ik met het smeren van Nivea. De ouderwetse blauwe pot).
- Op je 22ste laat je je lippen opvullen en laat je permanente make-up aanbrengen.
(kreeg ik voor het eerst coupe soleil).
En vanaf je 25ste, wanneer de aftakeling begint, kom je in de 'tenminste houdbaar tot'-fase terecht.

Huh? Wat?

Rimpels of geen rimpels, Botox is wat vanaf deze leeftijd de klok slaat. Gewoon beginnen. Je kunt het tenslotte maar beter voor zijn.

Que? Als in preventie?

Ik vraag me af; Wanneer je op je 25ste al je toevlucht zoekt tot een varia van mooimakers, ga je dan op je 35ste met je vriendinnen de 'strak, strakker, strakst'-competitie aan? Of ben je dan wel tevreden met je uiterlijk?

Interessant. Of is bizar het juiste woord?

In eerste instantie zou je toch denken, het laatste.
Echter, ik moet bekennen dat gedurende het gesprek er argumenten werden aangehaald waar ik weinig tegen in wist te brengen.

'Puur natuur is zó vorige eeuw. Neem nou al die dure potten crème die je koopt, kosten een hoop maar doen maar een beetje.'
Klopt.
'Je uiterlijk is en blijft je visitekaartje dus waarom wachten?
Je moet je schoonheid behouden. Opnieuw verkrijgen is een stuk ingewikkelder. Zodra de lijnen eenmaal zichtbaar zijn is het vaak al te laat. Voorkomen is beter dan genezen.'
*Klopt ook.*
'Angst hoef je ook niet te hebben. Het goedje wordt al sinds de zeventiger jaren gebruikt.'
*Deze moet ik even opzoeken.*
'En lieve schat, zo'n mooi strak gepolijst koppie is de makkelijkste weg naar een Platinum Card. Eenmaal bemachtigd betekent: Surgery for free for the rest of your life, girl!' *Uhhh... geen commentaar.*

Jarenlang was mijn grootste wens het hebben van vollere lippen. Gedurende de puberteit was lipliner een voordelige oplossing. Helaas bleef het nooit zitten met als gevolg dat ik er, meer dan eens, uitzag als een kind dat net een slok chocomel had gedronken.

Tegenwoordig heb ik de droom van zwoele Angelina Jolie-lippen laten varen.
Ach, zo lang er niet geklaagd wordt over mijn French Kiss capaciteiten leg ik me er maar bij neer.

Maar waarom? Met een paar prikjes zijn die sensuele lippen gecreëerd. Wat weerhoudt mij dan? Angst voor het Shaka Zoeloe effect?

Don't get me wrong. 'Tegen' ben ik zeker niet. We willen er tenslotte allemaal mooi(er) uitzien. Daar ben ik zeker geen uitzondering in.
Ja, ik koop dure crèmes, ja ik ga naar de sportschool, ja ik kan talloze onderdelen van mijn lijf noemen die best een kleine metamorfose mogen ondergaan, maar toch... tot nu was ik in de veronderstelling

dat snijden en spuiten wordt gezien als redmiddel voor na je 45ste.

Blijkbaar werkt het anders.

Ooit Dokter 90210 gezien? Daar worden dergelijke ingrepen net zo normaal gevonden als het plegen van een toiletbezoek. En wat dacht je van de vakanties. All inclusive, zelfs de 'make me beautiful'-arts?

Maar het kan nog gekker... Nog niet zo lang geleden kreeg je bij het aanschaffen van een jaarabonnement op het maandblad Santé een Botox-behandeling cadeau. Een blad over gezondheid nota bene!

Is het dan toch allemaal heel normaal? Hebben de meiden in de kappersstoel gelijk of is het de druk van de media? Is het een taboe of gaan we en *masse* het taboe doorbreken? Is het nou 'done' of toch 'not done'?
Is het wat voor mij?

Dit alles zou betekenen dat ik met mijn drieëndertig jaar eigenlijk al aan de late kant ben wanneer het gaat om cosmetische chirurgie.

Ik leg mijn redenatie voor om erachter te komen of ik het nou goed heb begrepen.

Er volgde een bedachtzame stilte. Een directe 'ja' zou immers niet aardig zijn.
In afwachting van het antwoord kon ik niet anders dan concluderen dat non-verbale communicatie er bij deze barbies niet meer bij is. Hoe ik ook mijn best deed, geen van de blikken kon ik thuisbrengen.

Wat overbleef was gissen.
Gissen of ze verbaasd waren door mijn opmerking of dat ik toch naar de dichtstbijzijnde kliniek moest rennen.

Dezelfde vraag als bij 'Nieuwe jongens II' popt op.
Zal ik dan ook...ja...of...misschien...als...NEE...JA, NEE, over een jaartje... NEE, JA, NEE... Ik ben er nog niet uit.

SCHEERZEEP

## Als je haar maar goed zit

Vandaag de dag is er voor alles een keuzemenu aanwezig.
Trends en het continu veranderlijke modebeeld gelden allang niet meer alleen voor de kleding die je draagt.

Vandaag de dag is ook schaamhaar aan mode onderhevig.

Let it grow...Hell no!
Onhygiënisch, onverzorgd, niet sexy en bovendien ...... zoooo jaren negentig.

Tegenwoordig is er voor ieder seizoen een ander modelletje. Braziliaans streepje, Sfinx, een hartje, een pijl, de voorletter van je vriendje, het plukje, de landingsbaan, driehoekje, de Beckham, de Hollywood etc. en dan kan je ook nog kiezen voor: ouderwets scheren, harsen, knippen, waxen, ontharingscrème of laseren.

Voor mij is deze hype echter geen verrassing. Op jonge leeftijd werd ik al geconfronteerd met de verschillende mogelijkheden.

Waar sommige jonge meiden bedeeld zijn met lichtblonde donshaartjes, krijgen anderen al vrij snel te maken met een vlot opkomende Afro.
Mijn zus behoorde tot deze laatste categorie.

Op haar leeftijd vond mijn moeder scheren geen optie.
'Schat, als je daar nu al mee begint is er nooit meer een weg terug en niet te vergeten... alle ellende die het met zich meebrengt: rode bultjes, ontstoken haarvaatjes, jeuk...'
Nee, mijn moeder had een fantastisch alternatief. Kleuren!
Ik zie het nog voor me. Mijn zus liggend op bed en mijn moeder die uiterst secuur met een kwastje tussen haar benen aan het werk was.
Ik, het jongere zusje, vond het natuurlijk hysterisch grappig!
Na de zoveelste (uit)lachbui werd ik uiteindelijk de kamer uitgezet.

Twee uur later had mijn zus zich opgesloten in de badkamer. Stiekem

sloop ik naar boven, keek door het kiertje... het resultaat: een MOHAWK!!
Haar schaamhaar was in het midden zwart en aan de zijkant oranje. Ik kon mezelf nog aardig vermannen tot ik mijn moeder hoorde zeggen: 'Lieverd, het valt best mee.' Ik proestte het uit en als een geïmiteerde Hiawatta rende ik naar beneden.

What comes around goes around, want...

Een paar jaar na deze onuitwisbare herinnering ving ik in de bus onderweg naar school een interessant gesprek op over 'platjes'. Uiteraard had ik er nog nooit eerder van gehoord, maar dit nieuwe woord baarde mij grote zorgen.
De hele dag bleef de door mij afgeluisterde conversatie in mijn hoofd zitten.
Stel nou dat ik... daar...
De gedachte deed me walgen.

Ik was twaalf jaar. Maagder dan maagd, had zelfs nog niet getongzoend, maar wist het zeker. Er moest actie ondernomen worden.

Mijn moeder die altijd een enorme fobie heeft gehad voor hoofdluis (mijn zussen en ik werden minimaal twee keer per maand 'gevlooid' onder een 60W lamp) had uit voorzorg standaard een flesje shampoo, om dit eventuele, minuscule beestje uit te roeien, in de badkamer staan.

Direct uit school liep ik linea recta naar de badkamer. Pakte het flesje en smeerde mijn drie net opkomende haartjes, waar ik megatrots op was, er mee in. Voor de zekerheid liet ik het goedje zo'n veertig minuten intrekken om het vervolgens grondig uit te spoelen.
Ik droogde me af, haalde opgelucht adem, keek in de spiegel en toen... AUW!!
Mijn vagina stond in de fik en mijn drie trotse haartjes: verschwunden!!

Met een knalrode kop heb ik mijn moeder om hulp gevraagd, die na met een uiterst serieus gezicht mijn verhaal te hebben aangehoord, een lach niet wist te onderdrukken.
Er werd een lik uierzalf (dit was in ons gezin overal de oplossing voor) op gesmeerd en toen volgde er een kort pedagogisch lesje volgde over 'beestjes op die plek' en dat die daar toch echt niet zomaar ontstaan.
Tenslotte kreeg ik, als troost, een koekje.
Later die dag hoorde ik dat mijn ouders de grootste lol hadden om het hele voorval...

Achteraf gezien was het natuurlijk ook heel grappig, maar ik zal liegen als ik zou zeggen dat het gebeuren geen licht traumatisch effect op me heeft gehad.

Schaamhaar... ik ben er geen fan van.

Om ellende van verhaaltje 1 en 2 te voorkomen kwam ik al snel tot de conclusie dat het gewoon weg moest.
Sindsdien ga ik door het leven met 'de Hollywood'.

'De Hollywood', een weloverwogen keuze.
'Als je haar maar goed zit'... daar hoef ik me dus niet druk over te maken. Jammer is alleen dat het bijhouden van deze trend niet zonder gevaar is en nogal eens voor een heftige blessure zorgt.

Misschien moet ik toch voor een andere coupe gaan...

Laatst stond ik in de kleedkamer van een sportschool in Barcelona en kwam tot de ontdekking dat deze modegrill in ieder land en in iedere stad namelijk weer anders is. Ik met mijn 'Hollywood' was een zeldzame uitzondering. Nee, in deze Spaanse stad is het modebeeld drastisch omgeslagen...
De bush op de flamoes is back & hot!

## Liefde is...

Liefde is... met twee lepeltjes een toetje eten.
*(Lees = het toetje vervangen voor pret in bed).*
Liefde is... Je laatste rol toiletpapier meegeven.
*(Lees = het niet erg vinden als de deur open staat gedurende de grote boodschap).*
Liefde is... gezellig samen een dagje thuis relaxen.
*(Lees = op zondag samen aan de schoonmaak zonder oorlog).*
Liefde is... van elkaar dromen.
*(Lees = nachtmerries uit kunnen praten).*
Liefde is... je telefoon uitzetten tijdens het eten.
*(Lees = zonder te denken dat dat een andere reden heeft).*

Ja, ja, jaaaaaaaa. Hartstikke mooi en sprookjesachtig, maar voor mij hangt liefde samen met een, misschien niet heel romantisch, maar zeker functioneel, fase-plan.

Nu wordt het eng.

Het fase-plan is bewandeld en de zes-maanden-periode van mijn geliefde fase vier gepasseerd.

Zes maanden lang zat ik op het puntje van mijn stoel te doemdenken.

Wanneer komt de karakterbotsing?
Wanneer zal het 'leuke' er vanaf zijn?
Wanneer komt de ware aard naar boven?
Wanneer wordt de seks minder?
Wanneer steekt de interesse voor andere vrouwen de kop op?
Wanneer komen de leugens?

Wanneer, wanneer, wanneer?

Niet! Het kwam niet!

Wordt het nu eng? Eigenlijk niet, want...

HET was geduldig en had besloten... zij hoort bij mij.

En wat is HET voor mij...?

HET zijn vlindertjes, HET is een gevoel, HET geeft rust, HET is meer dan een verlangen, HET is stabiel, HET zit in mijn hart, HET heeft de projecttest getrotseerd, HET inspireert.
En...

HET is geen alledaags type, HET is 1.90 m lang, HET is gespierd, HET is één en al libido, HET is chocoladebruin, HET is mooi, HET is *hot as hell* en bovenal... HET is van mij!

Tijd voor een feestje, want...

HET is een HIJ en hij... hij heeft het weten te schoppen tot de laatste fase!

Nog één keer, maar nu voor 't echie:

Liefde is... de prins op het witte paard herkennen
*(Lees = Liefde is... misschien wel HIJ!)*

Dikke X en Tot snel!

P.S. Dit boek gaat nu dicht, maar een mooi begin van een nieuw hoofdstuk in mijn leven... BEGINS!